Blickpunkt

Deutsch

DAVID ■ SPRAKE

GERMAN FOR GCSE
AND STANDARD GRADE

University Press

Oxford University Press, Walton Street, Oxford OX2 6DP

Oxford New York
Athens Auckland Bangkok Bombay
Calcutta Cape Town Dar es Salaam Delhi
Florence Hong Kong Istanbul Karachi
Kuala Lumpur Madras Madrid Melbourne
Mexico City Nairobi Paris Singapore
Taipei Tokyo Toronto

and associated companies in
Berlin Ibadan

Oxford is a trade mark of Oxford University Press

© David Sprake 1991
Reprinted 1992, 1994, 1995

ISBN 0 19 912120 6

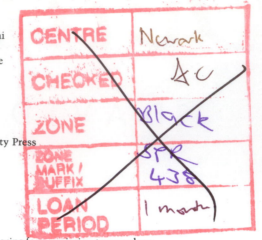

Acknowledgements

The publishers would like to thank the following for permission to reproduce photographs:

Allsport p.51 (bottom); Jens and Jutta Boysen p.162 (both); Camera Press p.129 (top and bottom); Central Television plc p.83 (all); Deutsche Bundespost pp.70 (both), 92 (top right); Deutsche Jugend Herbergswerk p.57 (bottom left), 118 (top); Deutsche Presse-Agentur GmbH p.51 (top); Farm and Cottage Holidays p.114; The Hulton Picture Company p.149 (centre, middle and bottom right); The Kobal Collection p.149 (far right); Magnum p.129 (centre); Hanna Middleton pp. 36, 68, 116 (top three); Rex Features p.149 (centre right); Saatchi and Saatchi p.149 (top); Staatliche Schiffart, Starnberg p.90; Jenny Thomas p.11 (no. 6, top); ZEFA Picture Library pp.122, 133 (bottom right).

Additional photography by John Brennan and Gordon Hillis Foto Studio, Hamburg.

The illustrations are by: Damon Burnard, Martin Chatterton, Mark Dobson, Michael Hill, Peter Joyce, Helen Musselwhite, Axel Scheffler, Nick Sharratt, and Angela Wood.

The cartoon on page 33 is by kind permission of Rüssl Musikverlag, Hamburg.

COPYRIGHT NOTICE

Printed in Hong Kong
Set by Tradespools Limited, Frome, Somerset

CONTENTS

Etappe VI

Etappe VII

Etappe VIII

Etappe IX

Etappe X

 = material recorded on tape/cassette

= pairwork activity

= useful structures to learn

= grammar points to revise

= written task

1 HALLO!

Darf ich mich vorstellen?

– Grüß Gott! Ich heiße Inge . . . Inge
  Weber. Und du?
– Ich bin Heidi Schwarze. Bist du
  Deutsche?
– Ja . . . und du?
– Ich bin Schweizerin.

– Wie heißt du denn?
– Peter . . . und du?
– Andreas . . . Wie alt bist du?
– Ich bin elf.
– Ich bin dreizehn.

– Guten Morgen.
– Guten Morgen. Name, bitte?
– Dampf . . . Walter Dampf.
– Nationalität?
– Deutsch.
– Geboren am . . . ?
– Am 12. Juli, 1970.

Nachname... *Dampf* ... Vorname(n) ... *Walter* ...
Nationalität... *deutsch* ...
Geburtsdatum... *12.7.1970* ...

Wer bist du? Wer sind Sie?

Nationality	Age	Any other details

Listen to these six people speaking about themselves.
Copy out these grids and give the details asked for:

These expressions will be useful for saying hello and
goodbye:

Guten Morgen/Guten Tag/Guten Abend/Grüß Gott!	Tschüs/Auf Wiedersehen!

These expressions will be useful for giving and finding
out personal details:

Wie heißt du? Wie heißen Sie? Wie ist dein/Ihr Name?	Ich heiße. . . Mein Name/Vorname/Nachname/Familienname ist. . . Ich bin. . .		
Wie schreibt/buchstabiert man das? Bitte buchstabieren!			
Wie alt	bist du? sind Sie?	Ich bin . . . (Jahre alt). Und	du? Sie?

Wann bist du Wann sind Sie	geboren?	Am	ersten zweiten	Januar 1971, usw.	
Ich bin Bist du Sind Sie	(kein/keine)	Deutscher/Deutsche. Engländer/Engländerin. Schotte/Schottin. Waliser/Waliserin.			(?)

Das deutsche ABC

Wie schreibt man das?

Listen to these eight people explaining how their names are spelt. Copy out this grid and write down their names:

Buchstabieren	
A = ah	N = enn
B = beh	O = oh
C = tseh	P = peh
D = deh	Q = koo
E = eh	R = err
F = eff	S = ess
G = geh	T = teh
H = hah	U = oo
I = ee	V = fow
J = yot	W = veh
K = kah	X = iks
L = ell	Y = oopsilon
M = emm	Z = tsett
ä, ö, ü	ß = ess-tsett

Christian name	Surname

a Practise in pairs asking and answering questions about each other's Christian and surnames (and how they are spelt), age and nationality.
b Invent details for yourselves and then ask each other the same questions, jotting down the answers, and checking them with your partner after the 'interview'.

Bitte ausfüllen!

Copy out this section of a form, and complete it with your personal details:

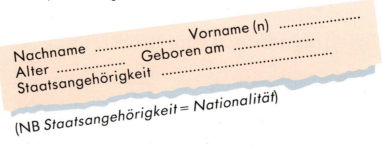

Nachname .... Vorname (n) ....
Alter .... Geboren am ....
Staatsangehörigkeit ....

(NB *Staatsangehörigkeit = Nationalität*)

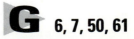

G 6, 7, 50, 61

2 WOHER KOMMST DU?

Vier Familien

 Wir sind Familie Siebert.
Wir wohnen in der Nähe von
Stuttgart.

Wir kommen aus der Schweiz...
aus Luzern. Das ist eine sehr
schöne Stadt!

Wir sind die Schmidts.
Wir wohnen nicht weit von
Leipzig.

Wir heißen Johann und Rosa
Wieser. Wir sind aus Österreich.
Wir leben in der Hauptstadt, in Wien.

Wo wohnst du genau?

 Listen to these six people explaining where
they come from. Copy this grid and write
in the details asked for:

Country	Part of country	Other details?

The following expressions will be useful for saying where
you live/come from:

Ich komme	aus	Edinburgh/London/Cardiff, usw.
Ich wohne Ich lebe	in	Großbritannien/England/Wales/Irland/Schottland, usw.
Wo liegt das?	Das liegt	in Nord-/Ost-/Süd-/West-/Mittelengland, usw. im Norden, im Osten, im Süden, im Westen, usw.

Meine Brieffreundinnen und Brieffreunde

Work out what Karl is saying about his
various penfriends from reading these
envelopes. You will need some of these
words:

britisch englisch walisisch
schottisch irisch amerikanisch
österreichisch schweizerisch
deutsch französisch spanisch

1

Morwen Jones
36 Bryn Ceiliog
Bleannan
Gwent
Wales.

2

Hedda Gambler
Wilhelmsstraße 916
Wien
Österreich

3

Jesús de la Sierra
Calle Diego Maradonna Ap° 46
Saragossa
Spanien

4

Patricia Paradis
150 Rue de Batiston
86100 Châtellerault
Frankreich

5

Chuck Vlapowsky
3609 Lombardi Boulevard
Green Bay
Wisconsin
USA

6

Sean McGinity
The Old Mill
Fermay
County Kerry
Eire

What other details can you add?

> Ich habe einen Brieffreund. Er heißt ....
> eine Brieffreundin. Sie heißt ....

Using this map, practise a number of dialogues with your partner in which one of you plays a German 'interviewing' a British boy/girl, asking his/her name, age, where he/she comes from, and what part of the country it's in.

Jetzt bist du dran!

a Write the first paragraph of a letter to a German, Swiss or Austrian penfriend in which you give details about yourself, and mention any other penfriends you have.

b Hier sind Steckbriefe für die Mitglieder der Heavy Metal Gruppe Motörhead. Schreibe einen ähnlichen Steckbrief für deine(n) Lieblingssänger(in).

Steckbriefe: Motörhead
Ian „Lemmy" Klimister
(Gesang, Baß)
Geburtstag: 24. Dezember 1945
Geburtsort: Stoke-on-Trent, England
Kinder: Sohn Paul Inder (geb. 10.5.1967)
Phil Campbell (Gitarre)
Geburtstag: 7. Mai 1961
Geburtsort: Pontypridd/Wales, England
Größe: 1,72 Meter
Verheiratet mit: Gaynor

Kinder: Sohn Todd Rundgren (geb. 29.10.1982)
Wurzel (Gitarre)
Geburtstag: 23. Oktober 1949
Geburtsort: Cheltenham, England
Größe: 1,70 Meter
Peter Gill (Schlagzeug)
Geburtstag: 9. Juni 1951
Geburtsort: Sheffield, England
Größe: 1,81 Meter

Autogrammadresse: Motörhead, c/o GWR Records, 15 Great Western Road, London W9 3NW, England.

 3b, 6

3 MEINE FAMILIE

Brief aus Deutschland

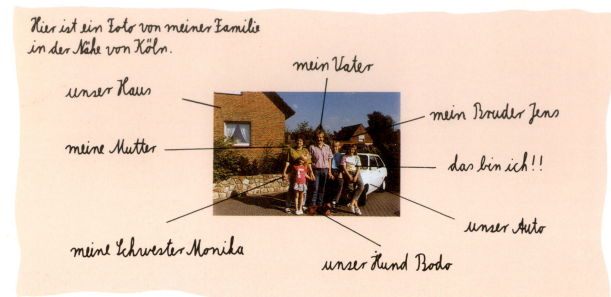

Hier ist ein Foto von meiner Familie in der Nähe von Köln.

unser Haus

mein Vater

meine Mutter

mein Bruder Jens

das bin ich!!

meine Schwester Monika

unser Hund Bodo

unser Auto

Geschwister

🎧 Listen to these six teenagers talking about their brothers and sisters. Copy out this grid and write down the information asked for:

	1		2		3
	Brothers?	Sisters?	Brothers?	Sisters?	Brothers?
Number					
Age (s)					

🦉 These expressions will be useful for discussing photographs and talking about people:

Ist das	dein(e)...? euer/eure...? Ihr(e)...?	Das ist (nicht)	mein(e)... unser(e)...
Sind das	deine ... usw?	Das sind (nicht)	meine... unsere...

Wer ist denn das? ...

2

a Invent details for these people (names, relationship to you, ages, where they live, etc.) and ask one another to explain who they are. The words in the box will be helpful:

1

der	Onkel/die Tante
der	Großvater/die | Großmutter
	Opa | Oma
der	Cousin (Vetter)/die Cousine
der	Freund/die Freundin
der	Nachbar/die Nachbarin

3   **4**   **5**

6

b Bring in some family photos and discuss them with
your partner (or some slides to discuss with the class).

Wer ist wer?

Identify the jobs from the pictures:

Arzt/Ärztin
Bauer/Bäuerin
Beamter/Beamtin
Fabrikarbeiter/-in
Kassierer/-in
Kellner/-in
Lehrer/-in
Polizist/-in
Programmierer/-in
Rentner/-in
Sekretär/-in
Verkäufer/-in

Was sind Sie von Beruf?

Here are ten German-speaking teenagers
talking about their parents' jobs. Copy out
this grid and write down the details asked
for:

	Father's job	Mother's job
1		
2		

Jetzt bist du dran!

Answer this letter extract, giving as much detail as you
can:

> auf deutsch.
> Hast Du Geschwister? Leider habe ich keine? Was
> sind Deine Eltern von Beruf? Hast Du viele
> Freundinnen und Freunde?

11

G 25, 41, 50

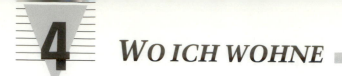

4 WO ICH WOHNE

Dort wohnen wir . . .

ein Bungalow

ein Einfamilienhaus

ein Doppelhaus

ein Hochhaus

ein | Wohnblock
      Mietshaus

ein Bauernhof

Wo wir wohnen

🔊 Listen to these eight people giving details about where they live. Copy this grid and note down the details asked for:

Type of dwelling	Any other details given?
1	
2	

🦉 The following expressions will be useful for saying what sort of accommodation you have or live in:

Wir haben	einen (kleinen, usw.) Bungalow. eine (große, usw.) Wohnung. ein (altes, usw.) Haus.
Wir wohnen in	einem (kleinen, usw.) Bungalow. einer (großen, usw.) Wohnung. einem (alten, usw.) Haus.

Was ist deine/eure/Ihre Telefonnummer?

🔊 Listen to these six people giving their telephone numbers, and try to write them down:

die Rufnummer

Meine Telefonnummer
ist (0931) 8022

die Vorwahl (nummer)

Meine Anschrift lautet . . .

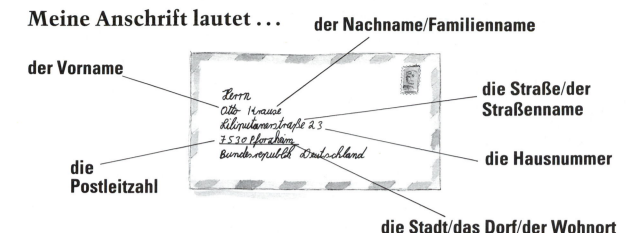

der Vorname

der Nachname/Familienname

die Straße/der Straßenname

die Hausnummer

die Postleitzahl

die Stadt/das Dorf/der Wohnort

Herrn
Otto Krause
Liliputanerstraße 23
7530 Pforzheim
Bundesrepublik Deutschland

Meine Anschrift

Listen to these three people giving their addresses and make a note of them.

1

Drei Häuser . . . drei Familien

Using the words in the box, make up as many sentences as you can to compare these three houses and the families who live in them:

> schön/schöner als .../das schönste
> billig/billiger als .../das billigste
> teuer/teurer als .../das teurste
> alt/älter als .../das älteste
> neu/neuer als .../das neueste
> modern/moderner als .../das modernste
> reich/reicher als .../die reichste
> arm/ärmer als .../die ärmste

2

3

Make up a German address and telephone number, then, working with a partner, perform a series of dialogues in which you ask one another for your addresses and telephone numbers. Jot them down, and then check their accuracy with your partner.

Jetzt bist du dran!

Answer this letter extract, giving as much detail as you can.

als Brieffreund.
Wir wohnen auf dem Lande, in einem kleinen Dorf, das Mistelgau heißt. Meine Eltern haben ein kleines Ge-schäft im Dorf. Wir wohnen über dem Geschäft. Und Ihr? Wie ist Euer Haus, und wo liegt es?

  **42, 43, 44, 59**

BEI UNS ZU HAUSE

Das ist unsere Wohnung

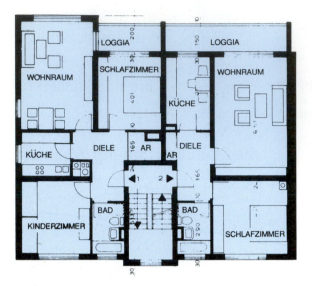 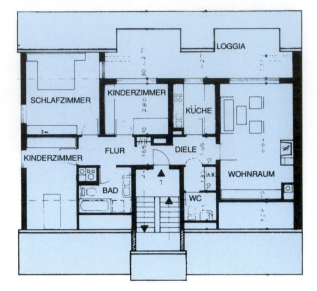

Kannst du erraten, was für Leute in diesen Wohnungen wohnen? Würdest du eine davon für deine Familie wählen? Warum (nicht)?

Unser Haus

Listen to this man showing someone round his house. Some good things and some bad things are said about each of the five rooms. Note down details in the form of a grid.

The following expressions will be useful for describing your house:

Im Erdgeschoß Im ersten Stock/Im Obergeschoß	ist sind	ein (kleiner, usw.) Flur. eine (kleine, usw.) Küche. ein (kleines, usw.) Eßzimmer. drei (kleine, usw.) Schlafzimmer.
	haben wir gibt's	einen (kleinen, usw.) Flur. eine (kleine, usw.) Küche. ein (kleines, usw.) Eßzimmer. drei (kleine, usw.) Schlafzimmer.

Wohin gehört das alles?

Identify these appliances and articles of furniture and then say which room they go in:

For example:

Der ...		in den Flur.
Die ...	gehört	in die Küche.
Das ...		ins Schlafzimmer.

> Stereoanlage Pflanze Stuhl
> Kommode Waschmaschine Bett
> Sessel Lampe Regal Couch
> Kühlschrank Kleiderschrank
> Videogerät

Mein Zimmer

 Listen to these two teenagers talking about their bedrooms. Note down as many details as you can about them.

In pairs, talk about your bedrooms. Mention five items you have in your bedroom, then ask each other a further five questions. For example, *"Hast du auch einen/eine/ein.....?/Gibt's auch einen/eine/ein.....?"*.

Jetzt bist du dran!

Imagine that a German-speaking girl/boy is coming to stay with your family. Write a paragraph from a letter to him/her, describing the room she/he will be staying in. Choose one of the options below to start your letter extract:

> Ich freue mich sehr auf Deinen Besuch.
>
> Du bekommst Dein eigenes Zimmer...
>
> Du teilst ein Zimmer mit (mir...
> (meinem Bruder...
> (meiner Schwester...

G 38, 44

Komm herein!

Wer sagt was? Bilde den Dialog mit den folgenden
Sätzen:

Das ist sehr nett von dir!/Wie schön!/
Hallo, Karin!/Hier sind Blumen für dich./
Geh doch hinein!/Gib mir deinen Mantel!/
Hier ist dein Kaffee./Ja, so groß und hell!/
Möchtest du Kuchen oder Torte?/Kaffee,
bitte!/Setz dich doch !/Danke schön/

Danke, mir geht's auch gut./Komm doch
herein!/Wie geht's?/Findest du?/Danke,
gut. Und dir?/Möchtest du Tee oder
Kaffee?/Das Wohnzimmer ist
phantastisch!/Ein kleines Stück Kuchen,
bitte./Bitte, bediene dich!

Mach es dir bequem!

This English boy has just arrived in Germany. You will
hear five short dialogues. In each case, note down **a** what
is being asked **b** what answer is given.

Du ... ihr ... Sie

Complete the following:

Practise welcoming and
offering hospitality to
A a classmate **B** two
classmates **C** your teacher,
using the correct forms of
address.

du	ihr	Sie
Hast du Hunger/Durst?	—	—
—	Kommt herein!	—
—	—	Möchten Sie Tee?
Wie geht es dir?	—	—
—	Hier ist euer Kaffee.	—
—	—	Setzen Sie sich doch!

Here are some things you might wish to offer a guest, or
be offered by your host:

eine Tasse Tee

ein Glas Bier

ein Glas Wein   Kekse   ein Stück Kuchen   ein belegtes Brot

These expressions will be useful for offering, refusing and accepting food and drink:

Möchtest du . . . (oder . . .)? Wie wär's mit einem/einer/einem . . . ?	Ja, gerne. Neine, danke. (Später vielleicht.) Ich habe keinen Hunger/Durst. Ich möchte lieber . . . (haben). Ich trinke/esse lieber . . .

With a partner, play the roles of **A** a host and **B** a guest:

A Is your guest hungry/thirsty? Say what you can offer. Does he/she take sugar/cream, etc? (*Nimmst du Zucker? Mit Zucker/Sahne?*)

B Say whether you're hungry/thirsty. Ask what there is (*Was gibt's denn?*). Choose and say whether you take sugar/want cream, etc. (*Ja, mit Zucker/Nein, ohne Sahne/Keinen Zucker für mich, etc.*)

Was sagst du? . . . Was denkst du?

Imagine you are shown the following things by your host. What do you think of them and what do you say about them?

Schön!

Schrecklich!

Wie findest du unseren neuen Sessel?

Wie findest du unsere neue Vase?

Wie findest du unser neues Telefon?

Der/Er ist . . . Die/Sie ist . . .	phantastisch/toll/prima/(sehr) modern/praktisch.
Das/Es ist . . .	häßlich/scheußlich/unpraktisch/altmodisch/doof.

Jetzt bist du dran!

Imagine a friend is going to arrive at your flat while you are out. Write a note for him/her saying you are in town (and why). Say Mrs. Jones has the key (number 12). Say there is coffee and tea in the kitchen. Tell your friend to help him/herself.

der Schlüssel

G 5, 9

Brieffreundinnen und -freunde

Here is part of a page from the German magazine *Jugendscala* with a number of German teenagers seeking foreign penfriends. Read it carefully and then answer these questions:

a What information are you given about German post codes?

b What is said about the people whose details appear on these pages of *Jugendscala*?

c What are you told you can do if you write and get no reply?

Wer schreibt uns?

Welchen Jungen (bzw. Welches Mädchen) würdest du selbst als Brieffreund/ Brieffreundin wählen? Erkläre auf Deutsch, warum du ausgerechnet ihn/sie wählst, und warum die anderen dich weniger (oder gar nicht!) interessieren.

Schreibe deinen ersten Brief an ihn/sie!

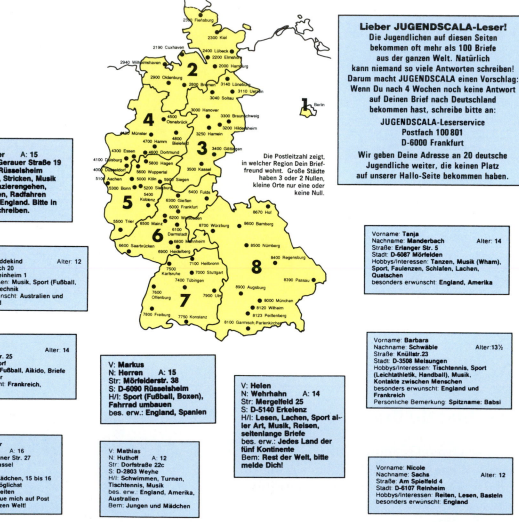

Lieber JUGENDSCALA-Leser!
Die Jugendlichen auf diesen Seiten bekommen oft mehr als 100 Briefe aus der ganzen Welt. Natürlich kann niemand so viele Antworten schreiben! Darum macht JUGENDSCALA einen Vorschlag: Wenn Du nach 4 Wochen noch keine Antwort auf Deinen Brief nach Deutschland bekommen hast, schreibe bitte an:

**JUGENDSCALA-Leserservice
Postfach 100 801
D-6000 Frankfurt**

Wir geben Deine Adresse an 20 deutsche Jugendliche weiter, die keinen Platz auf unserer Hallo-Seite bekommen haben.

Die Postleitzahl zeigt, in welcher Region Dein Brieffreund wohnt. Große Städte haben 3 oder 2 Nullen, kleine Orte nur eine oder keine Null.

V: **Elke**
N: **Schirmer**   A: **15**
Str: **Groß Grauer Straße 19**
S: **D-6090 Rüsselsheim**
H/I: **Lesen, Stricken, Musik hören, Spazierengehen, Schwimmen, Radfahren**
bes. erw.: **England. Bitte in Deutsch schreiben.**

Vorname: **Dirk**
Nachname: **Wieddekind**   Alter: **12**
Straße: **Wembach 20**
Stadt: **D-6107 Reinheim 1**
Hobbys/Interessen: **Musik, Sport (Fußball, Judo, Reiten), Technik**
besonders erwünscht: **Australien und andere, England**

Vorname: **Samuel**
Nachname: **Brasa**
Straße: **Okrifteler Str. 25**   Alter: **14**
Stadt: **D-6082 Walldorf**
Hobbys/Interessen: **Fußball, Aikido, Briefe schreiben, Computer**
besonders erwünscht: **Frankreich, Spanien, England**

V: **Markus**
N: **Herren**   A: **15**
Str: **Mörfelderstr. 38**
S: **D-6090 Rüsselsheim**
H/I: **Sport (Fußball, Boxen), Fahrrad umbauen**
bes. erw.: **England, Spanien**

V: **Alexander**
N: **Wilhelm**   A: **16**
Str: **Stallupöner Str. 27**
S: **D-3500 Kassel**
H/I: **Reiten**
bes. erw.: **Mädchen, 15 bis 16 Jahre alt, möglichst mit Hobby Reiten**
Bem: **Ich freue mich auf Post aus der ganzen Welt!**

V: **Mathias**
N: **Huthoff**   A: **12**
Str: **Dorfstraße 22c**
S: **D-2803 Weyhe**
H/I: **Schwimmen, Turnen, Tischtennis, Musik**
bes. erw.: **England, Amerika, Australien**
Bem: **Jungen und Mädchen**

V: **Helen**
N: **Wehrhahn**   A: **14**
Str: **Mergelfeld 25**
S: **D-5140 Erkelenz**
H/I: **Lesen, Lachen, Sport aller Art, Musik, Reisen, seitenlange Briefe**
bes. erw.: **Jedes Land der fünf Kontinente**
Bem: **Rest der Welt, bitte melde Dich!**

Vorname: **Tanja**
Nachname: **Manderbach**   Alter: **14**
Straße: **Erlanger Str. 5**
Stadt: **D-6087 Mörfelden**
Hobbys/Interessen: **Tanzen, Musik (Wham), Sport, Faulenzen, Schlafen, Lachen, Quatschen**
besonders erwünscht: **England, Amerika**

Vorname: **Barbara**
Nachname: **Schwäble**   Alter: **13½**
Straße: **Knüllstr. 23**
Stadt: **D-3508 Melsungen**
Hobbys/Interessen: **Tischtennis, Sport (Leichtathletik, Handball), Musik, Kontakte zwischen Menschen**
besonders erwünscht: **England und Frankreich**
Persönliche Bemerkung: **Spitzname: Babsi**

Vorname: **Nicole**
Nachname: **Sachs**   Alter: **12**
Straße: **Am Spielfeld 4**
Stadt: **D-6107 Reinheim**
Hobbys/Interessen: **Reiten, Lesen, Basteln**
besonders erwünscht: **England**

Briefkastenonkel

German teenagers write in to magazines with their problems just like their English counterparts. Here are two such letters, and the advice given by the *Briefkastenonkel*. Read them carefully and write out the gist of the problems and the advice in English. Do you agree with the advice?

Mein Vater nennt mich Flittchen

Ich bin 17 Jahre alt, und trotzdem behandelt mich mein Vater wie ein kleines Kind. Abends muß ich um neun Uhr zu Hause sein und auch immer sagen, wohin ich gehe.

Seit ein paar Monaten habe ich einen Freund. Mein Vater hat es herausgefunden und mich 'Flittchen' genannt. Er will mich überhaupt nicht mehr aus dem Haus lassen!

Was soll ich tun?
Katja R., 4030 Ratingen

* * * * *

Einige Eltern sind sehr streng zu ihren Kindern. Oft sind es die Väter, die ihre Töchter beinahe einsperren, vielleicht, weil Eifersucht auch eine Rolle spielt. Dein Vater wird Dich vielleicht auch dann nicht verstehen, wenn Du mit vernünftigen Gründen argumentierst. Sei diplomatisch! In einem Jahr bist Du ohnehin volljährig. Vielleicht kann Dir Deine Mutter helfen?

Ich mache mir Sorgen. . .

Nach dem Schulabschluß mußte ich (17) sehr lange suchen, um eine Lehrstelle zu bekommen. Meine eigene Suche war vergeblich. Schließlich hat mein Onkel für mich in München eine Stelle gefunden. Die Stadt ist aber so weit entfernt von meinem Heimatort, daß ich während der Woche bei meinem Onkel wohnen muß und nur zum Wochenende nach Hause kommen kann. Das bedeutet, daß ich die meiste Zeit von meiner Freundin (16) getrennt sein werde. Ich mache mir Sorgen, weil sie vielleicht jemand anders kennenlernen könnte, mit dem sie vielleicht lieber zusammensein möchte.
Bitte helfen Sie mir!
Martin P., 8126 Kaffdorf

* * * * *

Wenn man fünf Tage in der Woche voneinander getrennt ist, so ist das längst kein Weltuntergang!! Vielleicht solltest Du Deiner Freundin mehr vertrauen. Auch wenn Eure Freundschaft dadurch auf die Probe gestellt wird, werdet Ihr Euch zumindest über Eure Gefühle für einander klar werden.

Es ist sehr wichtig, einen Arbeitsplatz zu haben, besonders heutzutage, wo die Arbeitslosigkeit so groß ist. Was für eine Zukunft wäre das für Euch beide ohne eine gesicherte Existenz?

Ich bin 15 Jahre alt und habe einen Bruder, der ein Jahr älter ist. Zu Hause muß ich meiner Mutter immer bei der Hausarbeit helfen; mein Bruder tut absolut nichts. Ich habe meinen Eltern das oft gesagt, aber sie finden, Hausarbeit sei Mädchensache.
Wie kann ich ihnen klarmachen, daß das nicht so sein muß?

Gabi R., 7400 Tübingen

Here is another problem. Write out the gist of it in English. In German write a short, simple piece of advice to the girl in question.

Schüleraustausch

Here is an application form to get a German exchange partner through the organisation *Interlingua-Austauschdienst*. Imagine you wished to go on such an exchange. Complete the form with your own details:

INTERLINGUA-AUSTAUSCHDIENST

ANMELDEFORMULAR

Allgemeines

Nachname .... Vorname(n) ....

Alter .... Geburtsdatum ....

Geschlecht .... Größe ....

Anschrift: Straße/Nr ....

PLZ/Ort ....

Land ....

Telefonnummer (privat) .... (Geschäft) ....

Religion ....

Deutschkenntnisse: sehr gut ☐ gut ☐ ziemlich gut ☐ eher schwach ☐

Lichtbild hier aufkleben

Familie

Familienmitglieder: Vater ☐ Mutter ☐

Geschwister (Geschlecht u. Alter angeben) ....

....

....

Beruf des Vaters .... Arbeitszeit ....

Beruf der Mutter .... Arbeitszeit ....

Hobbys/Interessen

....

....

Zuhause

Haus ☐ Bungalow ☐ Wohnung ☐ oder: ....

Anzahl und Art der Zimmer ....

....

Zur Wahl steht: ☐ ein eigenes Schlafzimmer

☐ ein geteiltes Schlafzimmer

Besondere Partnerwünsche: ....

....

Man lernt sich kennen

These two young people have just met on a train in Germany. Listen to their conversation and then answer these questions:

With a partner, work out how you think their conversation may have developed.

a Where is each of them travelling to?
b Why are they going there?
c What nationality are they?
d What compliment is the boy paid?
e What does he say in reply?

BIERVERLAG
ROLF AHLERS
Geesthacht · Mühlenstr. 70
☎ 04152 / 7 16 80

Berufe

Listen to these five people being inter-viewed and asked questions about their jobs. In each case note down:

a their job
b their age
c how many people they work with
d how long they have done the job
e what they think of the job.

Hausaustausch

Imagine you received a letter from a German couple you know (Ernst and Gabi Fischer) which included the following:

Unfortunately you aren't planning on going away this year. However, you have some very nice neighbours (Mr. and Mrs. Neighbour!) who are interested in the house-swop. They live in the next street and have jotted down these notes for you about the accommodation they can offer. Write a letter back to Ernst and Gabi, explaining the situation and giving them details of the Neighbours' situation.

die Waschmaschine – *washing machine*
der Mikrowellenherd – *microwave*
die Geschirrspülmaschine – *dishwasher*
der Kühlschrank – *fridge*
die Gefriertruhe – *freezer*
das Klappbett – *camp bed*
die Dusche – *shower*

im kommenden Sommer noch
England zu fahren. Ernst kam
auf die Idee, einen Hausaustausch zu machen, und wir
dachten sofort an Euch. Was
haltet Ihr von der Idee?
Ihr kennt unser Haus; es
würde groß genug für Euch
sein. Eur Haus wäre auch
ideal für uns. Laß uns
möglichst bald wissen, ob das
geht oder nicht. Wir hoffen es
und freuen uns schon d'rauf.

Eure Ernst und Gabi

Downstairs - Kitchen (small but modern) - washing machine/
dishwasher/microwave/fridge freezer
Dining room (small)
Lounge (large)
Toilet
Upstairs - Bedrooms - 1 very large with double bed + en-suite
toilet/b'throom
1 large with 2 single beds
1 small with single bed (but also have camp bed)
Bathroom/toilet (bath + shower)
Large back garden - ideal for young kids!

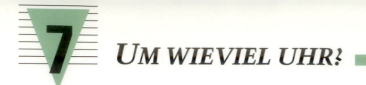

7 UM WIEVIEL UHR?

Wie spät ist es?

Look at these various clocks and watches and say what the time is:

Wieviel Uhr ist es?

Wie spät ist es?

 The following expressions will be useful for talking about clock times:

Wie spät ist es? Wieviel Uhr ist es?		Es ist zehn Uhr. Es ist halb elf, usw.		
Um wieviel Uhr Wann	beginnt endet	das Konzert?		Um neun Uhr. Um halb sieben, usw.
	öffnet schließt	das Museum?		
	machen die Banken		auf? zu?	
	fährt	der Bus	(ab)?	
	kommt		an?	
Wann	ist die Post sind die Banken	geöffnet? geschlossen?		Von neun bis 15 Uhr, usw.

Wann?

Listen to these conversations in which eight people are speaking about the times things are going to happen. Copy out this grid and give the information asked for:

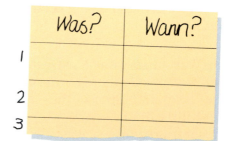

Öffnungszeiten

Imagine that you have phoned up **a** a swimming pool and **b** the *Bundespost*, to find out their opening times for some British friends. Jot down the information for them in English.

Wo und wann?

A – Wann sehen wir uns wieder?
B – Am *Samstag abend*?
A – O.K. . . . Und wo treffen wir uns?
B – *Im Café Hagedorn*?
A – Um wieviel Uhr?
B – Sagen wir *um sechs Uhr*.
A – Bis dann also . . . Tschüs.
B – Tschüs.

Now make up your own dialogues by changing the words in italics.

Play the parts of **A** a German guest **B** a British host. **A** asks the opening times of various places in Great Britain (banks, post offices, pubs, etc.).
B responds with the details.
(Wann öffnen/schließen bei Euch in Großbritannien . . .?/ Wann machen in Großbritannien . . . auf/zu?)

Geöffnet . . . geschlossen

Here are some details from a brochure on various places in Berlin. Note down in English **a** what sort of places they are and **b** any details you can understand, particularly opening times. ▶

Jetzt bist du dran!

Answer these various questions from a penfriend's letters:

Wann beginnt und endet die Schule bei Euch in Großbritannien?

Um wieviel Uhr stehst Du an Schultagen auf, und wann gehst Du ins Bett? Und am Wochenende?

Wann beginnen und enden Eure Diskoabende?

Wann fährst Du von zu Hause ab, und wann kommst Du in Köln an?

Sport, Freizeit und Erholung

blub, 47, Buschkrugallee 64 (U-Bhf. Grenzallee), Tel. 6066060, Mo-Do 10–23, Fr 10–24, Sa 9–24, So 9–23 Uhr. Vielseitige Wasserfreizeitanlage mit Wellenbad, riesiger Wasserrutsche, Meerwasserbecken, Saunagarten.

Diskotheken, Tanzlokale

Pop Inn, 41 (Steglitz), Ahornstraße 15a (Nähe Lepsiusstraße), Tel. 7913049, Di, Mi, Fr, Sa, So 18–24 Uhr. Jugenddiskothek, einfache Ausstattung, junges Publikum.
Sloopy, 52 (Reinickendorf), Scharnweberstraße 17–20, Tel. 4128180, Do 17–23, Sa 17–24, So 17–23 Uhr. Jugenddiskothek, einfache Einrichtung, freundliches Personal.

Frühstückskneipen, Cafés Kneipen

Schwarzes Café, 12, Kantstraße 148 (Nähe Savignyplatz), Tel. 3138038. Durchgehend 24 Stunden täglich geöffnet außer Mo 20–Di 20 Uhr! 13 verschiedene Frühstücke! Guter Treffpunkt für unkonventionelles jüngeres Publikum.
Gottlieb, 62 (Schöneberg), Großgörschenstr. 4 (Nähe Potsdamer Str.), Tel. 7823943, tägl. 18–1 Uhr. Junges Publikum, sehr lebhaft.

 **G** 62, 65

8 *SO IST ES BEI UNS*

Meine tägliche Routine

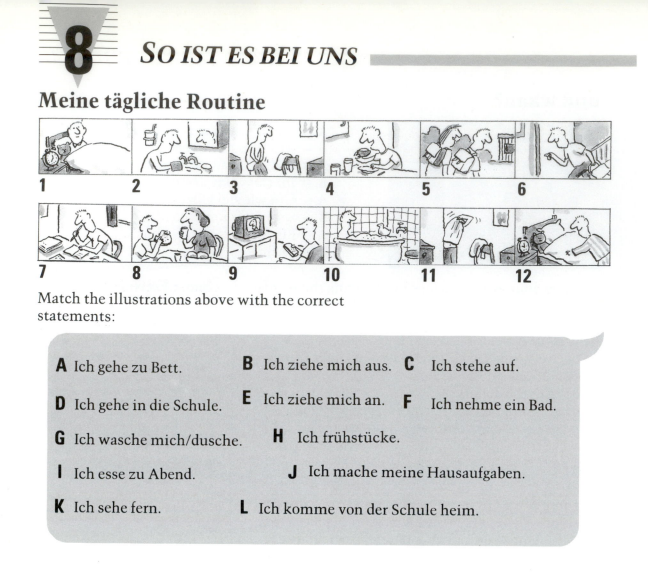

Match the illustrations above with the correct
statements:

A Ich gehe zu Bett. **B** Ich ziehe mich aus. **C** Ich stehe auf.

D Ich gehe in die Schule. **E** Ich ziehe mich an. **F** Ich nehme ein Bad.

G Ich wasche mich/dusche. **H** Ich frühstücke.

I Ich esse zu Abend. **J** Ich mache meine Hausaufgaben.

K Ich sehe fern. **L** Ich komme von der Schule heim.

The following words are
useful for talking about
things you do:

Normalerweise/Gewöhnlich Oft/Manchmal/Ab und zu An Wochentagen/Am Wochenende/Am Samstag (abend)/Samstags/ Samstagabends Am Vormittag/Vormittags/Am Nachmittag/Nachmittags/ Am Abend/Abends Zunächst/Dann/Nachher/ Später Gegen acht Uhr/Zwischen acht und neun Uhr, usw.	bleibe ich zu Hause. gehe ich aus. höre ich Radio, usw.

Look at the sentences for *Meine tägliche Routine* again,
starting each one with one of the words in the box above.
For example, **Normalerweise stehe ich** um X Uhr **auf**.
Try to add a further six sentences of your own.

Ein typischer Tag

Listen to **a** Jürgen Krause and **b** Claudia Dürner talking about their daily routine, and answer the questions:

Jürgen Krause
1 What do we learn about Jürgen's job?
2 When does he get up?
3 At what time does he have breakfast?
4 How does he get to work?
5 When does he start work?
6 At what time does he get home from work?
7 How does he spend his evenings?
8 When does he usually go to bed?

Claudia Dürner
1 What is Claudia studying?
2 When does she usually get up?
3 How far does she live from the university?
4 How does she get there?
5 When do lectures usually start?
6 When does she go to the 'Mensa' to eat?
7 What does she usually do in the evening?
8 At what time does she usually go to bed?

Both partners prepare separate details of a day in the life of a pop star/millionaire/sports celebrity. Each partner should then interview the other, starting with '*Wann stehen Sie gewöhnlich auf?*' and then prompting with '*Und dann?*', '*Und nachher?*', '*Und (später) am Vormittag*', '*Und am Nachmittag?*', '*Und wie geht Ihr Tag dann weiter?*' etc.

Am Wochenende

Read this letter extract and jot down in your own words in English what this German girl says about her weekends:

> Am Wochenende mache ich nichts Besonderes. Ich mache meine Hausaufgaben schon am Freitagabend fertig, damit ich die restliche Zeit frei habe. Am Samstag stehe ich ziemlich früh auf. Ich gehe dann meistens in der Stadt einkaufen. Am Nachmittag besuche ich eine Freundin, oder eine kommt zu mir nach Hause. Am Samstagabend gehe ich ab und zu auf eine Party oder bleibe zu Hause und sehe fern. Am Sonntag gehe ich mit meinen Eltern in die Kirche. Danach bleibe ich meistens zu Hause und faulenze.

Jetzt bist du dran!

Now write a similar letter extract in German about your weekends, including sentences starting: '*Am Freitagabend...*'/'*Am Samstagvormittag*'/'*Am Samstagnachmittag...*'/'*Am Samstagabend...*'/'*Am Sonntagvormittag...*'/'*Am Sonntagnachmittag...*'/'*Am Sonntagabend...*'

 10, 11, 29, 62, 65

9 MAHLZEIT!

Zum Frühstück … Zum Mittagessen … Zum Abendessen

1 Wir holen jeden Morgen (beim) Bäcker frische Brötchen fürs Frühstück. Wir essen sie meistens mit Butter und Marmelade oder Honig, manchmal auch mit Wurst oder Schinken. Normalerweise trinken wir Kaffee.

2

Mittags essen wir meistens Kartoffeln mit Fleisch und Gemüse und einer Soße … manchmal auch vorher eine Suppe. Zum Nachtisch gibt es oft Obst, also Apfelsinen oder Äpfel, aber auch Joghurt oder Pudding. Dazu trinken wir Mineralwasser.

3 Abends essen wir dann nicht so viel wie mittags … Brot mit Käse oder Wurst … Manchmal auch Bratkartoffeln oder Rührei dazu. Im allgemeinen trinken wir abends Tee oder ein Glas Milch, manchmal auch ein Glas Bier.

The following expressions are useful for talking about likes and dislikes in food and drink:

Ißt du gern Wurst?	Ja, ich esse gern Wurst.
Trinkst du gern Tee?	Ja, ich trinke gern Tee.
Magst du Wurst?	Nein, ich esse nicht gern Wurst.
Magst du Tee?	Nein, ich trinke nicht gern Tee.
	Ja, ich mag Wurst gern.
	Nein, ich mag keinen Tee.

Gemüse   Hühnchen
Mineralwasser   Tee
Wein   Kuchen
Brötchen   Eis
Suppe   Käse   Salat
Pommes frites

Essen und Trinken

Can you name these items of food and drink?

Das ist … /Das sind. …

a Work in pairs and for each of the items of food and drink (above), ask and answer these questions:

> Wie oft ißt/trinkst du das? Oft? Manchmal? Selten? Nie?
> Magst du das (nicht)?
> Ißt/Trinkst du das zum Frühstück? Zum Mittagessen? Zum Abendessen?

b In turns, offer your partner some (or some more) of each of the items using these expressions:

> Möchtest du . . . ? Danke, gern./Nein, danke.
> Nimm doch noch etwas . . . ! Danke, gern./Nein danke, ich bin satt.

Guten Appetit!

Listen to these short conversations which take place before and during a meal. Jot down in English the gist of **a** what is being asked and **b** the replies given.

Die britische Küche

Listen to these five Germans speaking about their impressions of English food. Copy out this grid, and fill in the information (what they like, and what they don't like).

	Er/Sie mag...	Er/Sie mag nicht...
1.		
2.		

Sag mal!

With a partner, play the parts of **A** a German host and **B** a British guest. Ask and answer the following questions:

> Um wieviel Uhr frühstückst du?
> Wann ißt du zu Mittag?
> Wann ißt du zu Abend?
> Was ißt du normalerweise zum Frühstück?
> Und zum Mittagessen? Und zum Abendessen?
> Wie ist das Essen in der Schulkantine?
> Was kann man dort zu essen und zu trinken bekommen?
> Was kostet das?
> Ißt man in Großbritannien viel Fisch/viel Wurst/viele Pommes frites?

Jetzt bist du dran!

Answer this letter extract from a German penfriend:

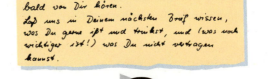

bald von Dir hören.
Laß uns in Deinem nächsten Brief wissen,
was Du gerne ißt und trinkst, und (was noch
wichtiger ist!) was Du nicht vertragen
kannst.

G 6, 8, 29, 35

ICH BRAUCHE...

Bitte...!

Haben Sie eine Schere, Frau Gruber?

Darf ich die Schreibmaschine benützen?

Ja, in der Schublade dort drüben.

Ja, klar!

Danke schön!

Bitte schön!

The following expressions will be useful when you need to use or borrow something:

Hast du Haben Sie	einen/eine/ein...? ...(plural)?		Ja, sicher. Leider nicht.
Darf ich	einen/eine/ein...haben? ...(plural)...?		
Darf ich	den/die/das	benützen?	Ja, klar!/Ja, natürlich! Es tut mir leid. Den/Die/Das brauche ich selbst.
Darf ich (mir)	..... die...(plural)?	ausleihen	
Ich brauche	einen/eine/ein... ...(plural).		

Darf ich...?

Here are a number of items you may need, or wish to use/borrow while staying with a German-speaking family:

das Badetuch **der Haartrockner**

das Schreibpapier

der Kugelschreiber(-)

das Pflaster

der Umschlag(¨e)

die Seife

Darf ich...?

das Toilettenpapier das Papiertaschentuch(¨er)

die Waschmaschine das Fahrrad

Using these words with the expressions from the box above, make up as many sentences as you can.

Ja, sicher! ... Nein, es tut mir leid.

Listen to this person asking to borrow/use these items.
Find out which ones he can, and which ones he can't.

Wo ist es denn?

Listen to these six people asking to use/borrow
something. Copy out this grid, and write down the
information asked for:

Was braucht er/sie?	Wo ist es eigentlich?
1	
2	

Was ist los?

Complete these sentences with requests for suitable
items:

> *Ich will mir die Haare waschen...*

> *Ach! Meine Hand blutet!...*

> *Ich möchte den Brief abschicken...aber die Post ist zu!...*

> *Ich habe einen Schnupfen!...*

> *Ich möchte einen Brief an meine Eltern schreiben...*

der Spitzer   **der Rechner**   **der Bleistift**

das Lineal   **der Radiergummi**

In pairs, attempt to borrow items from one another. Your
dialogues should develop as follows:

A asks whether **B** has a certain item and whether he/she
may borrow it. **B** answers.

Jetzt bist du dran!

Complete **a** the note and **b** the letter extract below, in
which you are trying to get something from a German
friend:

```
Kannst Du mir... (was?)...
leihen?

Ich komme ... (wann?) ... vorbei
und hole ...(ihn/sie/es) ...
```

```
Ich brauche ..... (was?) .....für meine Deutscharbeit in der Schule.
Könntest Du mir ... (einen/eine/eins/welche) .....schicken?  Ich wäre
Dir sehr dankbar.
```

G 3b, 8, 37, 38

11 IN DER UMGEBUNG

In der Stadt ... auf dem Land

> Wohnen in der Stadt ist toll!!
> Hier sind Diskotheken, Kinos,
> Sportzentren, Hallenbäder ...
> alles, was man braucht.

> Auf dem Land ist es ruhig und
> sehr schön. Hier sind Wälder,
> Wiesen, Seen ... hier ist die
> Natur!

> In der Stadt ist es furchtbar
> laut ... und das Leben hier ist
> so hektisch.

> Hier auf dem Lande gibt's gar
> nichts zu tun. Ich finde es
> stinklangweilig.

The following expressions are useful for talking about
places in your town/village:

Unsere Stadt Unser Stadtteil Unser Dorf	hat	einen (großen, usw.) Park. eine (große, usw.) Brücke. ein (großes, usw.) Krankenhaus. (große, usw.) Fabriken. viel Industrie. viele (große, usw.) Hotels.
Unser Dorf, usw.	hat	keinen Park/keine Brücke/kein Krankenhaus. keine Hotels.

Unsere Stadt ... unser Dorf ...

schön/häßlich/groß/klein
modern/alt/historisch/
gut/schlecht/interessant/
langweilig/ausgezeichnet

Make as many sentences as you can by using the
expressions above and the words below:

das Museum

der See

die Fabrik

der Strand

das Kino

das Krankenhaus

das Schwimmbad

der Fluß

das Stadion

das Sportzentrum

die Kirche

das Schloß

Was gibt's dort zu tun?

Listen to these people talking about what their town/village has to offer. Copy out the grid below and put a tick or a cross depending on whether each item is mentioned or not.

	Jörg	Ulrike	Georg	Barbara
Sporthalle/Freizeitzentrum				
Eisbahn/Eissporthalle				
Theater				
Kino				
Stadion/Sportplatz				
Schwimmbad				
Jugendclub				
Diskothek				
Restaurant				
Kneipen/Cafés				

Sehenswürdigkeiten

Listen to these five people talking about places and things worth visiting in their neighbourhood. Note down in English as many details as you can.

Practise with your partner asking about facilities in his/her area. *(Hat Eure Stadt einen/eine/ein …? Gibt's einen/eine/ein …?)*. When replying positively, try to add an adjective, for example:

Ja, | es gibt einen schönen Park.
    | wir haben eine schöne Brücke.
    | die Stadt hat ein schönes Rathaus, usw.

Die Kiste

Read this programme of activities in the 'Kiste', a youth club in Bergen, and answer these questions in English:

1 How long will this programme run?
2 What is different about Wednesday?
3 What is special about every second Saturday?
4 What would you recommend for a friend who likes sport?
5 What should you note about the 21st January?
6 When is the chess tournament to be held?
7 On what date is there to be an outing, and what sort of trip is it?
8 How many other activities can you recognise?

DIE KISTE Jugendfreizeitstätte **Bergen**

Bergen, Ringstraße, Telefon (0 50 51) 57 07
Öffnungszeiten:
Mo.-Fr. 15.30-21.30 Uhr., Sa. 16-22 Uhr

Monatsprogramm Januar

Montag: 15 Uhr Schmuckwerkstatt mit Salzi, 17 Uhr Musikwork-Shop mit Bernd, 18 Uhr Fußball-AG. **Dienstag:** 16 Uhr Holzwerkstatt mit Roberta für Mädchen ab 7 Jahren, 19 Uhr Gemütlicher Abend mit Stricken – Klönen – Teetrinken. **Mittwoch** ist Kindertag! (Spezielles Angebot: Kinder im Alter von 7 bis 14 Jahren.) Kochen und Backen mit Gaby, Toffern mit Heidi, Basteln mit Roberta, Holzwerkstatt mit Andreas. **Donnerstag:** 16 Uhr Koch-AG mit Gaby, 16 Uhr Hobbywerkstatt mit Sabine, 16 Uhr Fahrradwerkstatt mit Holger und Remsi, ab 16.30 Uhr verschiedene Gitarrenkurse mit Christoph: Anfängerkurs, Fortgeschrittenenkurs, E-Gitarrenkurs, Musikgruppe mit Christoph. **Freitag:** 16 Uhr Topfern mit Heidi, 17 Uhr Zeitungs-AG mit Roberta, 19 Uhr Theatergruppe mit Gaby.

Und jeden 2. Samstag im Monat ist die „Kiste" geöffnet!

Sonstige Termine zum Vormerken: 14. Januar: Darts-Turnier um 16 Uhr. – Gemütlicher Filmabend für Jugendliche am 19. Januar um 19 Uhr. – **Am 21. Januar bleibt die „KISTE" geschlossen!!!** – 28. Januar: Die Mädchen sind am (Tischtennis-)Ball!!! Start 17 Uhr. – 11. Januar: Theaterfahrt ins Schloßtheater nach Celle, Abfahrt 19 Uhr v. d. „KISTE". – Der Termin für das Schach-Turnier ist noch in Planung! Info in der „KISTE".

Jetzt bist du dran!

Answer the following letter extract in German:

In Deinem letzten Brief hast Du Euer Haus und Euren Garten beschrieben. Wie ist Eure Stadt aber? (Oder ist es ein Dorf?). Ich möchte gerne

 2, 35, 41, 44

Was machen wir?

Ein Deutscher und ein Engländer besprechen, was sie heute abend unternehmen wollen:

Hör zu und sag, was stimmt, und was nicht stimmt:

1 Der Engländer will Tennis spielen. Er spielt gut Tennis.
2 Er hat Lust, spazierenzugehen.
3 Er möchte gern ins Kino gehen.
4 Er beschließt, zu Hause zu bleiben.
5 Er möchte lieber fernsehen.

Stimmt!   Stimmt nicht!

The following expressions are useful for finding out what someone would like to do, accepting/refusing, and saying what you'd rather do:

Möchtest du Willst du	ins Kino gehen? spazierengehen? usw.	Ja, gern(e).
Hast du Lust	ins Kino zu gehen? spazierenzugehen? usw.	Nein (ich habe keine Lust).
Wie wär's mit Kino/Disko/ einem Spaziergang? usw.		Nein, ich möchte lieber fernsehen, usw.
Wir könnten Laß uns	ins Kino gehen(!) spazierengehen(!) usw.	

Hast du Lust?

Here are some activities you might wish to suggest:

schwimmengehen   Tennis spielen   Musik hören   radfahren

ausgehen   fernsehen   ins Kino gehen   spazierengehen

Warum nicht?

Here are some reasons you could give for not wanting to do something. Match them up with the illustrations in the activity boxes:

Möchtest du . . . ?

Listen to these conversations in which the people are asked whether they wish to do certain things, and give reasons why they do not. Copy the information below into your exercise book and join up the correct items. The first one is done for you:

Wer?	Was? Wohin?	Warum nicht?
1 Erich	in eine Disko gehen	hat keine Lust.
2 Inge	Tennis spielen	hat Besuch.
3 Erwin	ins Schwimmbad gehen	hat zu viel Arbeit.
4 Martina	einen Einkaufsbummel machen	geht angeln.
5 Matthias	einen Stadtbummel machen	ist zu müde.
6 Sabine	ins Kino gehen	fühlt sich nicht wohl.

Using expressions you have met in this unit, take turns at suggesting what you could do this morning/afternoon/evening, and either agreeing or giving reasons why not.

Jetzt bist du dran!

You have seen a film advertised in the paper. Leave a note for your German friend:

– Asking if he/she would like to go to the cinema.
– Telling him/her what the film is called.
– Saying when it starts (and ends).

Zum Lachen

– Saying you'll pay!
– Asking him/her to ring you before five o'clock.
– Giving a phone number.

  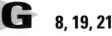 **8, 19, 21**

Das Mädchen vom Lande

Auf dem Dorf wohnen, in der Stadt arbeiten – so leben viele Jugendliche vom Lande. Sie brauchen die Stadt, aber sie wollen ihre Heimat nicht ganz verlassen. Wir zeigen das moderne „Landleben" am Beispiel von Elke:

Clemens und Elke

Clemens und Elke sind 18 Jahre alt. Seit einem halben Jahr haben sie beide eine Lehrstelle in einem Büro in Köln. Clemens ist in Köln geboren und an das Leben in der Großstadt gewöhnt. Elke kommt aus Mettendorf, einem kleinen Dorf in der Eifel, ungefähr 150 km. von Köln entfernt. Darum hat Elke sich in Köln ein Zimmer genommen, denn sie kann nur übers Wochenende nach Hause fahren.

Einladung aufs Land

Elke hat Clemens am Wochenende nach Mettendorf eingeladen. Also fahren sie am Wochenende mit einem Bekannten, der auch in Köln arbeitet, mit dem Auto in die Eifel. Nach dem Abendessen gehen sie in die Turnhalle der Schule von Mettendorf. Elke leitet dort eine Jazztanzgruppe. Die sieben Mädchen machen viel Gymnastik und üben Gruppentänze zu moderner und klassischer Musik.

Wo man sich trifft

Nach dem Training gehen Elke und Clemens noch kurz in eine Dorfkneipe. Sie trinken Limo und spielen Billard. Früher hat Elke hier immer viele von ihren Freunden getroffen. Doch heute treffen sie sich alle in einem anderen Dorf in der Umgebung. „Früher war hier viel mehr los", sagt Elke, „da sind alle im Dorf geblieben und haben viel zusammen gemacht. Heute haben sie alle den Führerschein und besuchen Freunde in den Nachbardörfern. Überhaupt sind die alle so faul geworden und sitzen den ganzen Tag vor der Glotze."

Für Jugendliche gibt es hier in Mettendorf nicht viel Abwechslung. „Im Jugendzentrum kann man sich nicht sehr gut treffen, weil die Räume immer besetzt sind. Da gehe ich nie hin?, sagt Elke.

In Neuerburg, ungefähr fünf Kilometer von Mettendorf entfernt, gibt es eine Diskothek. Aber ohne Auto kommt man nicht gut dorthin. Nachts fahren keine Busse. Die Verkehrsverbindungen sind überhaupt sehr schlecht. „Viele Jugendliche wollen mit 15 Jahren sofort ein Mofa haben, denn das Mofa macht frei und unabhängig.

Auch die Berufsaussichten sind nicht gut. „Es gibt hier nur ein paar Läden und eine Autowerkstatt. Wenn man eine Lehre machen will, muß man schon in die nächste Stadt gehen."

Jeder kennt jeden

Jeder kennt jeden in Mettendorf. Auf der einen Seite ist das sehr schön: Alte Leute werden nicht vergessen. Sie haben noch viel Kontakt zu anderen Leuten. Andererseits gibt es auch sehr viel Klatsch: die Klatschtanten wissen immer genau, wann der Nachbar aus der Kneipe nach Hause gekommen ist.

Kirmes im Nachbardorf

Am Samstag ist in einem Nachbardorf Kirmes. Clemens und Elke fahren mit Freunden dorthin. Clemens sieht keine Achterbahnen und Riesenräder wie bei Volksfesten in Köln, aber es gibt ein großes Festzelt mit langen Tischen und Bänken.

Und es gibt eine Zwei-Mann-Band, die vor einer großen Tanzfläche spielt. Jeder aus dem Dorf ist da, auch viele Leute aus den Nachbardörfern. Alles tanzt, jung und alt, Walzer and Foxtrott. Und die Oma tanzt mit dem Opa, der Schwiegervater mit der Schwiegertochter. Jeder macht mit.

Clemens findet das toll. „In Köln gibt es nie so viel Stimmung auf einem Fest", sagt er. „Bei uns haben die alten Leute ihre Stammkneipen, und die Jugendlichen haben ihre modernen Diskos. Hier auf dem Dorf treffen sich alle Generationen."

1 How do many young people from the country live nowadays?
2 What do we learn about Elke and Clemens?
3 How do Elke and Clemens spend the evening in Mettendorf?
4 How have things changed, according to Elke?
5 What does she say about Mettendorf and Neuerberg as places for young people to live in?
6 What is said about employment prospects in this area?
7 What is said about the fact that everyone in Mettendorf knows everyone else?
8 What features of the *Kirmes* are mentioned, and how does it compare with festivals Clemens has been to in Cologne?

Mahlzeit!

a Find examples of food and drink to go with each of the above words, for example:
Zitrone ist sauer.

b Make up mini-dialogues in which you use some of the words, for example:
– Wie findest du die Soße?
– Sie ist mir ein bißchen zu scharf!

süß

scharf

salzig

saftig

flüssig

ungenießbar

krümelig

lecker

zäh

klebrig

aromatisch

eklig

hart

What's the place like?

Imagine that some friends of yours are going to stay in this place. Note down as many details about it as you can in English for them:

7518 Sulzacker

224 m. Große Kreisstadt. Enzkreis zwischen Enztal/ Heckengäu und Naturpark Stromberg. 24 000 Einwohner. 105 Betten (davon 101 in Hotels, 4 in Gasthöfen).

Freizeit: Beheiztes Freischwimmbad, Hallenschwimmbad, Wanderparkplätze, markierte Rundwanderwege, Grillplätze mit Schutzhütten, Kinderspielplätze, Kindergarten mit Betreuung der Kinder von Gästen, Trimm-Dich-Pfad, zwei in Naturschutzgebiet gelegene Seen, Waldlehrpfad, Angelmöglichkeiten, Eislaufhalle, Fahrradverleih.

Sehenswürdigkeiten: Heimatmuseum, Stadtmauer mit Turm, Altes Rathaus, Altstadt mit Fachwerkhäusern, Burgruine Sanspareil (13. Jh.), Schloß Ehrenstein (16. Jh.), evangelische Kirche, St. Markuskirche, St. Jakobskapelle.

Bürgermeisteramt, Telefon (0 62 26) 43 09 Zimmervermittlung 43 34

Sehenswürdigkeiten und Veranstaltungen

1 a What are the opening times of these museums?
  b What sort of museums are they?
  c How much is the entrance fee?
2 a When are discos held?
  b Why is this advertisement worth keeping?
  c Why is *Agentur Haase* mentioned?
3 a What do you get for the all-inclusive price of 259 DM?
4 a Why is this a special time for the *Hansapark*?
  b What details are you given about how to get there?
  c What special offer is being made?
  d What new features are mentioned?

Niedersächsisches Landesmuseum

Geöffnet:
Dienstag–Sonntag   10–17 Uhr
Donnerstag   10–19 Uhr
Montag geschlossen   Eintritt frei

1

Sehenswürdigkeiten und Museen
Öffnungszeiten

Stadtmuseum* Kanzleistraße 1 (Lüchau-Haus)	Di–So Juli und August montags geöffnet Telefon 2 55 27	10.00 bis 17.00
Deutsches Schreibmaschinen-Museum Bernecker Straße 11	Mo–Fr oder nach Vereinbarung Telefon 2 34 45	14.00 bis 17.00

2

Dschungel-Großdiskothek
BAMBU
Neustadt, Sierksdorfer Straße 1–3, ☎ 0 45 61 / 35 64
Jeden Freitag u. Sonnabend ab 20.30 Uhr geöffnet

Gegen Vorlage dieser Anzeige
heute, Freitag, den 15. Mai
freier Eintritt

VORSCHAU:
Freitag, den 22. 5.   Freitag, den 5. 6.
FANCY   **Felix de Luxe**
Eintritt 8,- DM
VORVERKAUF: Agentur Haase, Neustadt, Linaustraße
☎ 0 45 61 / 23 33

3

Teens und Twens
Pauschalangebot:
In den Sommerferien: 7 Übernachtungen/Heidjer-Frühstück, Kaffeege- deck, Rieseneis, Disco- und Kinobesuch, 1 Schwimmbad-Eintritt, 2 Tage Fahrradverleih, Wanderkarte, 3 Bowlingspiele, ab 259,— DM
— Fremdenverkehrsamt der Stadt Walsrode. Lange Straße 20. 3030 Walsrode. Tel. (0 51 61) ☎ 20 37.

4

5 a What is being offered here, and for whom in particular?
b When is it available, and why is a half an hour mentioned?
c What does the 2 DM cover?

5

LN-Aktion Kinder-Film-Tage

Heute spielen wir für Euch

Impuls Film
DIE WUNDERBARE REISE DES KLEINEN NILS HOLGERSSON

Nach dem Kinderbuch von Selma Lagerlöf

Dolby Stereo

Stadthallen-Lichtspiele, Mühlenbrücke 13
Täglich 14 und 16 Uhr
Karten ½ Stunde vorher

Nur **2,—** Mark Eintritt
+ ein Eis gibt's gratis

Viel Spaß wünschen Euch
Anwohnerverein Buntekuh,
Stadthallen-Lichtspiele und
Lübecker Nachrichten

Hör zu!

Listen to these three people being interviewed and jot down in English as many details as you can about ...
a Inge Voss's job and daily routine.
b Manfred Volker's family, and where they live.
c Renate Popp's shopping, and her family's eating habits.

Bei uns in *Anytown*

Imagine that your town/village is running a competition for the best brochure in German to attract visitors to your town/village. Design and write your own brochure, giving details of where your town/village is, and the sort of information you think a German-speaking visitor would like/need to know.

13 SCHULFÄCHER

Mein Stundenplan

Zeit	Montag	Dienstag	Mittwoch	Donnerstag	Freitag	Samstag
1. 7⁵⁰ - 8³⁵	Deutsch	Französisch	Englisch	Geschichte	Sport	Mathe
2. 8⁴⁰ - 9²⁵	Mathe	Erdkunde	Englisch	Biologie	Sport	Deutsch
(1. große Pause)						
3. 9⁴⁵ - 10²⁵	Biologie	Musik	Physik	Französisch	Chemie	Religion
4. 10²⁰ - 11²⁵	Geschichte	Chemie	Deutsch	Französisch	Mathe	Erdkunde
(große Pause)						
20 - 12²⁵ Physik	Englisch	Mathe	Kunst	Musik		
...sik		Religion	Kunst			

> Das hier ist mein Stundenplan. Was hältst du davon? Freitag ist nicht schlecht, aber Montag ... Mensch, ist das ein Tag! L A N G W E I L I G !!

These phrases are useful for saying what you think of subjects:

Deutsch, Französisch, Latein, Mathe, Biologie, Chemie, Physik, Sport, Turnen, Kunst, Musik, Informatik, Religion, Geschichte, Erdkunde, usw.	ist mein Lieblingsfach. gefällt mir (nicht). mache | ich (nicht) gern. lerne mag finde ich | interessant/langweilig. leicht/schwierig.
Ich finde Deutsch	interessanter/langweiliger/ leichter/schwieriger, usw.	als Mathe.
Ich bin | ziemlich sehr	gut schwach	in Deutsch, usw.

Und du?

> Welche Fächer lernst du? Was ist dein Lieblingsfach? Welches Fach gefällt dir nicht? Bist du gut in Deutsch? In welchen Fächern bist du gut? Und in welchen schwach? Welcher Tag ist dein bester Schultag? Welche Stunden hast du? Welcher ist dein schlechtester Tag? Warum?

Jahreszeugnis

Write a report for yourself on a full report form, using the German grades. Then write a sentence about your performance in each subject. For example, *Ich bin sehr gut in Mathe. Ich bin sehr schwach in Englisch.*

STAATLICHES LINA-HILGER-GYMNASIUM
BAD KREUZNACH

JAHRES-ZEUGNIS

Harald Schmidt

geboren am **25. Mai** 19 **77** in **Bad Kreuznach**

hat im Schuljahr 19 **91** / **92** die Klasse **9** besucht.

Verhalten: **3**

Religionslehre: **4**

Deutsch:

Mitarbeit:

Mathematik:

| 1 = sehr gut |
| 2 = gut |
| 3 = befriedigend |
| 4 = ausreichend |
| 5 = mangelhaft |
| 6 = ungenügend |

Ich kann es ... Ich kann es nicht!

Listen to these five German teenagers talking about their best and worst school subjects. Write down the information in a grid like this:

	Best Subject	Worst Subject	Reasons
1			
2			

Bester Tag ... Schlechtester Tag!

Listen to this German girl speaking about her best and worst day in the week. Copy out this grid with room for a six-period day (as in timetable opposite) and write down what her subjects are on those days:

Best day is	Worst day is ....
1	
2	
3	

Partner **A** plays the role of the German whose timetable is on the opposite page. Partner **B** plays him/herself. Compare your timetables by asking each other questions (*Wann beginnt bei euch die Schule? Wann ist sie aus? Wie viele Stunden habt ihr pro Tag? Wie lange dauert eine Unterrichtsstunde? etc.*), and commenting on the answers (*Bei uns ist das später/früher/kürzer/länger*). Also discuss what subjects you like/dislike, are good/weak at.

Jetzt bist du dran!

Answer this letter extract in German:

Bei Euch in Großbritannien? Kannst Du in Deinem nächsten Brief einen typischen Schultag beschreiben (Unterrichtsstunden, Pausen, Schulessen, usw.)? Das würde mich sehr interessieren.

 23, 29, 42

Das deutsche Schulsystem

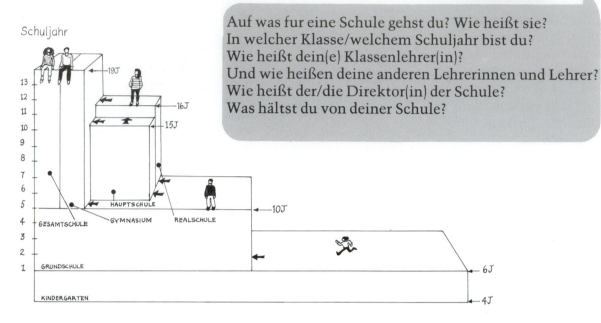

Auf was für eine Schule gehst du? Wie heißt sie?
In welcher Klasse/welchem Schuljahr bist du?
Wie heißt dein(e) Klassenlehrer(in)?
Und wie heißen deine anderen Lehrerinnen und Lehrer?
Wie heißt der/die Direktor(in) der Schule?
Was hältst du von deiner Schule?

 The following expressions will be useful for explaining how you get to school:

Ich wohne (ungefähr)	acht Kilometer fünf Gehminuten/20 Busminuten		von der Schule entfernt.
Ich gehe Ich komme	jeden Tag immer manchmal, usw.	zu Fuß	zur Schule.
Ich fahre Ich komme		mit dem Auto/Wagen mit dem Bus mit dem Rad/Mofa, usw.	in die Schule. dorthin.

Was sagen sie?

What are these people saying?

Und du? Wohnst du weit von der Schule entfernt? Wie kommst du dorthin?

In unserer Schule

These words will help you talk about your school:

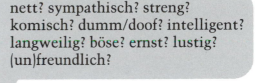

Ist eure Schule groß/mittelgroß/klein?
Wie viele Zimmer hat sie?
Wie sind die Zimmer/Räume?

neu/alt	
modern/altmodisch	
sauber/schmutzig	
gut	ausgestattet
schlecht	möbliert
schön	dekoriet
geräumig/eng	

das Zimmer (-) (Lehrerzimmer, Englischzimmer, Krankenzimmer, usw.) der Saal (Säle) die Aula die Kantine	der Raum (-e) (Computerraum, usw.) die Turnhalle das Labor (-e) das Büro | des Schulleiters | der Schulleiterin

Unsere Lehrerinnen und Lehrer

Hier sind fünf Lehrerinnen und Lehrer. Wie sehen sie aus? Sind sie euren Lehrerinnen und Lehrern ähnlich? Schlag vor, welche Fächer sie wohl geben!

nett? sympathisch? streng? komisch? dumm/doof? intelligent? langweilig? böse? ernst? lustig? (un)freundlich?

A  **B**

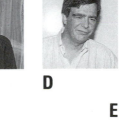

Unsere Schule

Listen to these two youngsters talking about their schools, and jot down any details you can understand.

C

D

E

Guter Lehrer ... Schlechter Lehrer

Listen to these three youngsters talking about what qualities they like/don't like in teachers. Jot down the details in a grid like the one opposite:

Like	Don't like

Work with a partner. **A** plays the part of a German visitor, **B** plays him/herself. **A** asks questions about various teachers (*'Wie heißt dein Physiklehrer?' usw., 'Was hältst du von ihm?'/'Wie findest du ihn?'*) **B** answers.

Jetzt bist du dran!

Imagine your class has been asked to prepare a short brochure in German about your school for some German-speaking visitors. Design and write your own version, including in it any details you think would be of interest to them.

  34, 38

15 TASCHENGELD UND JOBBEN

Extra Geld

Um extra Geld zu verdienen, gehe ich bei den Nachbarn babysitten. Wenn die Kinder brav sind, kann ich fernsehen oder meine Hausaufgaben machen.

Ich arbeite am Wochenende an einer Tankstelle als Tankwart. Der Job ist einfach, aber nicht gut bezahlt, finde ich.

Ich arbeite in einem Supermarkt. Ich jobbe dort am Samstagnachmittag und in den Ferien. Das ist gut bezahlt, aber man arbeitet pausenlos . . . und die Arbeit ist sehr langweilig!

The following expressions will be useful for talking about pocket money and part-time jobs:

Ich bekomme	kein Taschengeld.			
	20 Mark/5 Pfund	pro Woche in der Woche	von	meinem Vater. meiner Mutter. meinen Eltern.
Um extra Geld zu verdienen,	arbeite ich jobbe ich	in einem Laden in einem Café	als	Verkäufer(in). Kellner(in), usw.
	trage ich Zeitungen aus. gehe ich babysitten.			

Was machst du mit dem Geld?

What are these people saying?

Ich gebe das Geld für ... aus

Ich kaufe ...

Ich spare für ...

Ich brauche das Geld für ...

Ich jobbe . . .

Listen to these two German teenagers talking about the part-time jobs they do, and have done, and then answer these questions:

Carolin (16 Jahre alt)
1 What was Carolin's first job?
2 How did she get it?
3 How much was she paid?
4 When was it particularly difficult?
5 What was her next job?
6 How much did she earn?
7 What was her third job?
8 What did she earn? (And what 'perks' did she get?)

Thomas (19 Jahre alt)
1 Where is Thomas working at the moment?
2 How did he get the job?
3 How many hours a day does he work and how much is he paid?
4 What sort of work does he say it is?
5 How long is he staying there and what is he saving up for?
6 Where did he once work?
7 Doing what?
8 What were the advantages apart from the money?

Erlaubt . . . Verboten . . .

Listen to this woman explaining the law governing youngsters and part-time work in the Federal Republic of Germany. Jot down in your own words what is permitted for **a** from the age of 13 **b** from the age of 15.

> **Gesucht!**
> Babysitter für meine Tochter (7) und meinen Sohn (3) für zwei Nachmittage in der Woche. Tel: 66 09 73

> Wer braucht Nachhilfe in Englisch oder Französisch (Anfänger)? Englischer Student bietet preiswerten Unterricht. Tel: 66 17 03 Adrian

Stellengesuche . . . Stellenangebote

Read these advertisements and:
a decide whether they are requests for, or offers of, jobs,
b work out what is being requested/ offered.

> **Suche** Stelle vormittags als Krankenpflegerin im Raum Stolberg/ Münsterbusch, Tel. 02402/ 29051.

> Suche
> **Putzhilfe**
> 2 x wöchentlich 5 Std.
> nach AC-Eilendorf
> Tel. 02 41 / 55 06 52

a Ask each other about pocket money and part-time jobs, using follow-up question, where necessary (*Von wem? Wann? Wo? Was verdienst du pro Stunde? etc.*).
b Work out a phone call with your partner in which one of you phones up about one of the jobs on offer above. Explain who you are, ask for further details and arrange to go and see the people concerned.

Jetzt bist du dran!

Answer this letter extract:

> am Wochenende. Bekommst Du Taschengeld von Deinen Eltern? Verdienst du extra Geld dazu? Was für einen Job hast Du? Wofür gibst Du das Geld aus?

 10, 20, 31, 36

FREIZEIT UND HOBBYS

Meine Hobbys und Interessen

Das sind Karins und Horsts Zimmer. Sieh dir die Bilder an. Welche Hobbys und Interessen haben die zwei Jugendlichen?

The following expressions will be useful for talking about your hobbies and interests:

Ich interessiere mich für Mein Hobby ist Meine Hobbys sind		Lesen (und Fernsehen), usw.
Ich	lese gern. sehe gern fern, usw.	
Ich	habe Tiere gern, usw.	
	mag	Tiere gern, usw. fernsehen, usw.

Was machst du in deiner Freizeit?

How many sentences can you make from the following:

ich treibe ...
ich sammle ...
ich spiele ...
ich höre ...
ich mache ...   gern
ich bastele ...
ich schreibe ...
ich gehe ...
ich sehe ...

Zeitschriften   Schach
Musik   Krimis
Gitarre   Münzen   Romane
Briefe   fern
Rad   Modelle
Fotos   Briefmarken
Schallplatten
Wanderungen
Federball   Sport
Klavier   spazieren

Interessen

Listen to these three people speaking about what they are interested in. Complete the grid, and indicate with a √ or a × the things they say they like/dislike:

	♪									
Christina										
Thomas										
Cornelia										

Und ... aber ...

Listen to these six Germans talking about things they like. In each case they will add some further information. Copy out the grid, and give the details asked for:

Er/sie interessiert sich für...	und/aber...
1	
2	

a Each partner chooses five hobbies/interests and asks the other what he/she thinks about them.

b With your partner, work out a conversation which might take place in response to this advertisement (**A** should introduce him/herself and could ask about time involved, transport, type of work, payment, possibility of riding: **B** should answer the various queries).

Wer hat Zeit u. Lust,
uns bei der tägl. Pflege u. Arbeit
mit Pferden mitzuhelfen?
VG 3266

Jetzt tanzt der Bär
.... denn es gibt da eine Tanzschule, in der ist die Stimmung bärenstark: Ob 13, 33 oder 73 – ob als Tanzbär, Partylöwe oder Disco-maus – im Tanzcenter Alff kann man locker, tierisch gut tanzen lernen!

Für Erwachsene ist
"Tag der offenen Tür"
sonntags ab 18.00 Uhr
im Tanzcenter Alff
– der tierisch guten Tanzschule
Alle Tanzkurse beginnen Mitte September.
Anmeldung tägl. v. 16 bis 20 Uhr

Schwartauer Allee 84
Telefon 47 88 88

Tanzcenter ALFF

Möchtest du dort hingehen?

Read this advertisement and answer the questions:
1 Who has placed this advertisement?
2 Why are 13, 33 and 73 mentioned?
3 What takes place on Sundays from 18:00?
4 For whom is it intended?
5 Why is mid-September mentioned?
6 When can you enrol for what is on offer?

Jetzt bist du dran!

Answer this letter extract:

fast keine Zeit mehr dafür. Wofür interessierst Du Dich? Hast Du viele Hobbys und Interessen? Mein Hobby ist die Fotografie. Interessierst Du Dich dafür? Außerdem mag ich sehr gern Tiere, besonders Katzen und Pferde. Magst Du sie auch?

G 2, 10

17 DIE CLIQUE

Das sind wir!

Wie sehen diese Jugendlichen aus? Was für Jugendliche sind das wohl?

The following expressions will be useful for describing people:

Er/Sie	ist (1 Meter 65) groß, mittelgroß, klein, dick, schlank.	
	hat	langes, kurzes, lockiges, braunes, schwarzes Haar. lange, kurze Haare. grüne, (dunkel-/hell-) blaue Augen. einen Bart, einen Schnurrbart.
	trägt eine Brille, einen roten Pulli, alte Jeans, usw.	
	sieht	dumm, intelligent, faul, fleißig, lustig, (un)glücklich, (un)freundlich, usw.	aus.

Wie sieht er aus?

Imagine that your neighbours are going to have a German visitor. Listen to these details he gives about himself over the phone and jot down the information for them:

He is ....
His eyes are ....
His hair is ....
He'll be wearing.......
He'll be carrying.....

Was bedeutet das?

Find words with the opposite meaning:

Er ist...	nett	schüchtern	sympathisch	
	laut	intelligent	lustig	unangenehm
		krank	frech	doof	fit
	höflich	unglücklich	unfreundlich	

Wer spricht?

Listen to these four people describing themselves. Three appear in the photos; which are they?

E

A

B

C

D

Mit der Clique weg ...

Listen to this conversation between a teenage boy and his mother.
1 What is he going to be doing with his friends?
2 What does his mother say about
  a Ingo **b** Thomas **c** Michael **d** Stefan?
3 What is his reaction in each case?
4 Who is Stefan?

Describe to each other **a** a teacher **b** a fellow pupil **c** a pop/film star or TV personality, and try to guess who it is.

Jetzt bist du dran!

Write a description of yourself in response to this letter extract:

zu sehen. Du kommst also am 5. August um 15 Uhr 43 am Bonner Hauptbahnhof an. Wir werden Dich natürlich mit dem Auto abholen. Wie werden wir Dich aber erkennen?

 G 10, 44

18 HALT DICH FIT!

Wie hältst du dich fit?

Hör zu! Diese sechs Jugendlichen besprechen, wie gesund und fit sie sind. Wer macht was?

Und du? Bist du fit? Was machst du, um fit zu bleiben/werden? Was sollte man machen (und nicht machen!), um fit zu sein?

The following expressions will be useful for talking about sport and similar activities, how long you have been doing them, and how often you do them:

Ich treibe keinen/(nicht) viel Sport.		
Ich spiele	schon sehr lange seit einem Jahr/drei Jahren, usw. oft/jeden Montagabend/am Wochenende, usw.	Tennis. Fußball. Volleyball, usw.
Ich mache Aerobik/Joga/Judo, usw.		
Ich gehe	joggen/baden/spazieren/wandern, usw. ins Schwimmbad/zum Training.	

Halten Sie sich für fit?

The above question was put to six German adults. Copy this grid into your book, listen to their answers, and give the information asked for:

fit?	ja/nein	warum?
1		
2		

Ein Tip

Here's one way of keeping fit! Jot down as many details as you can in English of this magazine extract:

JOGGEN GEHT BADEN

Joggen ist out, denn laufen kann jeder! Wasserlaufen ist der neueste Hit! Natürlich kommt er aus den USA! Ein Trend, der Kraft kostet und viel Fitness bringt. Und so wird's gemacht: Man läuft so schnell und regelmäßig wie möglich durch etwa hüfthohes Wasser. Sei es im nahegelegenen Baggersee oder im Schwimmbad. Das bringt den Kreislauf in die Gänge, massiert und durchblutet die Muskeln. Es macht Riesenspaß, allein, mit dem Freund oder der Freundin, im Wasser zu laufen, eine Runde zu schwimmen, und dann erneut durchzuspurten.

Aktives Angebot

Read this advertisement
offering tennis training
sessions:

1 What are you being offered for your
  320, DM?
2 When do the courses take place?
3 Who are they intended for?
4 What are you told about the facilities?

Sport in Österreich

Read the following details about football in Austria and
answer these questions:
1 What is said about football in the title?
2 Why are the figures 2 000 and 250 000 mentioned?
3 What do you learn about how the football leagues are
  organised?
4 Why are *Austria-Wien*, *Rapid Wien* and *FC Tirol*
  mentioned?
5 Why are 1954, 1978 and 1982 mentioned?

Discuss fitness with your partner. Talk about what
exercise you take, food you eat, (smoking? drinking?).
('*Glaubst du, du bist fit?*' '*Treibst du Sport?*' *Was machst
du, um fit zu sein/bleiben/werden?*' '*Ißt du gesund?*'
'*Rauchst du?*' '*Trinkst du Alkohol?*')

Jetzt bist du dran!

a Imagine your class is writing a brochure in German
  about your school for German-speaking visitors. Write
  a section on sporting activities in your school.
b Answer this letter extract:

**Fußball – noch immer
Volkssport Nummer 1**

Der Österreichische Fußballbund
ist der mitgliederstärkste Sportverband. Ihm gehören rund 2.000
Vereine mit über 250.000 aktiven
Sportlern an. Die oberste Spiel-
klasse ist die „Bundesliga", die
aus der 1. und 2. Division besteht.
12 Vereine sind in jeder Division
zugelassen. International können
die drei Spitzenklubs Austria-Wien,
Rapid-Wien und der FC Tirol auf
beachtliche Resultate hinweisen.
Zu den herausragenden Erfolgen
der österreichischen Fußballnatio-
nalmannschaften in der Zweiten
Republik (seit 1945) zählen der
dritte Platz bei der Weltmeisterschaft 1954 sowie das Erreichen
der Endrunden bei den Weltmei-
sterschaften 1978 und 1982.

trimming®
Bewegung ist die beste Medizin

Deutscher
Sportbund

sehr sportlich.
Treibst Du viel Sport?
Spielst Du zum Beispiel in
einer Schulmannschaft?
Gewinnt Ihr meistens
Eure Spiele gegen andere
Schulen, oder verliert
Ihr?

 G   34, 58, 62

Jobben nebenher . . .

This magazine article reports on young Germans who have part-time jobs. Read this extract and answer the questions in English:

a How did Margarete get her job in the first place?
How has her situation changed over the five years she has worked there?
Why does she need to work?
What does she say about the work and her colleagues?
What is her attitude to 'fast food'?

b What details are given about Vera's main part-time job?
Why does she need to do part-time work?
What other job does she sometimes do?
What effect has this work had on her studies?

c What details are given about the hours Carsten works?
What does he say about the job and the people he meets?
What does he need the money for?
What advantage does the job have?
To what extent will this job help him in his career?

Hast du Freundinnen oder Freunde, die nebenher jobben? Was machen sie? Wie viele Stunden arbeiten sie? Wann? Was verdienen sie pro Stunde/Woche?

BURGER UND POMMES

So einfach kann das gehen: „Ich habe gefragt, ob was frei ist, und die haben gesagt, okay, fang bei uns an." Das war vor fünf Jahren. Seitdem arbeitet Margarete (23) bei McDonalds. Zuerst als normale Teilzeitkraft, heute als Schichtführerin. „Das heißt, ich bediene nicht mehr die Gäste. Ich passe nur auf, daß der Betrieb gut läuft."

Margarete studiert Geologie. Sie muß jobben, weil ihre Fahrten in ferne Länder viel Geld kosten. „Wir sind hier ein ganz lustiges Team, vor allem Schüler und Hausfrauen. Vier an der Kasse, vier in der Küche. Am Mittag und am frühen Abend ist viel los, aber sonst ist die Arbeit recht locker. Und das Essen ist frei." Ob es schmeckt? „Ich weiß, Fast Food ist Geschmackssache, aber mir schmeckt es. Es muß ja nicht jeden Tag ein Big Mac sein."

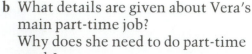

DARF'S ETWAS MEHR SEIN?

Dreimal in der Woche muß Vera (24) um fünf Uhr morgens aufstehen, denn dreimal in der Woche ist Markttag in Mainz. Bis um vier Uhr nachmittags ist Vera dann auf den Beinen und verkauft griechische und italienische Spezialitäten. Vor allem Oliven. Zwanzig Sorten schwarze und grüne Ölfrüchte verbreiten ihren delikaten Duft. „Um die Mittagszeit geht's rund. Da komme ich mit dem Bedienen kaum nach. Aber sonst ist auch mal Zeit für ein Schwätzchen mit den Kunden."

Vera studiert Innenarchitektur und muß selber ihr Geld verdienen. Sie hat ihre Eltern früh verloren und bekommt auch keine staatliche Förderung. So arbeitet sie manchmal auch noch am Abend im Theater in der Künstlergarderobe. Während der Vorstellung muß sie den Schauspielern beim An- und Ausziehen der Kostüme helfen.

Zwei Jobs an einem Tag. Kann man da auch noch studieren? – „Ich liege vielleicht ein Semester zurück. Aber das muß ich in Kauf nehmen. Anders geht's eben nicht."

GUTEN ABEND, DORT ENTLANG

Carsten, 19 Jahre alt und Schüler in Mainz, hat einen Job als Kontrolleur im Kino. Einmal in der Woche arbeitet er elf Stunden am Stück, ab 12 Uhr mittags. Bei langen Filmnächten kann es auch mal 5 Uhr morgens werden. „Eintrittskarten kontrollieren ist nicht anstrengend. Und außerdem kann ich in den Pausen sogar noch für das Abitur lernen", meint Carsten, „aber die Atmosphäre ist anonym. Wenn ich „guten Abend" sage, kommt von den Leuten meistens keine Reaktion. Da könnte genausogut ein Automat stehen." Aber die Bezahlung (400 Mark im Monat) stimmt. Das Geld braucht Carsten, der noch bei seinen Eltern wohnt, für sein Auto.

Fast in allen Mainzer Kinos darf Carsten kostenlos die neuesten Filme anschauen. „Mein absoluter Kultfilm ist Monty Pythons ‚Das Leben des Brian', den habe ich mindestens dreizehnmal gesehen." Beruflich hat er mit dem Kino nichts im Sinn. Er will Mathematik und Physik studieren.

Phantombilder   Erkennst du diese Personen?

Erkennst du . . .

. . . diesen Jungen?   . . . dieses Mädchen?   . . . diese Frau?   . . . diesen Mann?

Alter:	ca. 15	Alter:	ca. 16	Alter:	Mitte 30	Alter:	Mitte 40
Haare:	dunkelbraun	Haare:	blond	Haare:	hellbraun	Haare:	schwarz
Augen:	braun	Augen:	blau	Augen:	grün	Augen:	braun
Größe:	ca. 155 cm	Größe:	ca. 160 cm	Größe:	ca. 165 cm	Größe:	ca. 180 cm

Erkennst du sie unter deinen Schulkameraden und den
Lehrkräften an eurer Schule? Woran erkennst du sie?

Ungewöhnliche Hobbys!

Fast jeder hat irgendein Hobby, etwas, was er in seiner
Freizeit macht, sei es Sport, Briefmarkensammeln,
Basteln, oder Fernsehen. Es gibt aber Leute die sehr
komische oder ungewöhnliche Hobbys haben, zum
Beispiel:

Manfred Schwarz aus München bastelt
Modelle aus Streichhölzern. Das bisher
größte ist sein Modell der Münchener
Frauenkirche. Es besteht aus 60 000
Streichhölzern, ist 1,40 Meter hoch und
1,20 Meter lang. Er brauchte 18 Monate
dazu.

Die Mitglieder des Naturschutzzentrums
in Mögingen am Bodensee haben ihren
alten VW-Käfer in einen Blumengarten
verwandelt. Aus dem Dach sprießt sogar
eine Birke!

Kennst du jemanden, der ein komisches, bzw.
ungewöhnliches Hobby hat? Was für eines?

Ein Interview mit Boris Breskvar (Boris Beckers erstem Trainer)

1 Between what dates was he Boris
   Becker's coach?
2 What were Boris Becker's strong and
   weak points initially?
3 How often did Breskvar train Becker,
   and what sort of a pupil was he?

4 Why did he stop coaching him?
5 Why does Breskvar mention Steffi Graf?
6 What was one of the consequences of
   Becker's success?

Limo billiger als Bier

1 What is said to be a problem for young people?
2 What novel way have a Turk and a Portuguese found to solve it?
3 How will a certain relief organisation also benefit?

Limo billiger als Bier

In Gaststätten sind alkoholische Getränke meist billiger als Limo oder Cola. Ein Problem für Jugendliche. Ein Türke und ein Portugiese - sie haben eine Gaststätte in Troisdorf - wollen das "Kneipenproblem" lösen. Sie verkaufen alkoholfreie Getränke billiger als Bier. Jugendliche, Autofahrer und Anti-Alkoholiker können sogar kostenlos Mineralwasser trinken. Wer bezahlen möchte, spendet in eine Sammelbüchse für eine Hilfsorganisation.

So ein Depp!!

Lies die folgende Bildgeschichte!
1 Erkläre auf Deutsch, was passiert!
2 Warum trinkt der Junge noch einen, bevor er das Mädchen zum Tanz bittet?
3 Wie benimmt er sich dann?
4 Wie reagiert sie?
5 Wie findest du den Jungen?

SPRICH DICH AUS!

These two German teenagers have written to this magazine with their problems. In your own words, give the gist of **a** what their problems are and **b** what advice they are given:

Darf mich meine erwachsene Schwester in die Disco mitnehmen?

Ich bin 14 Jahre alt und würde gern zur Disco fahren. Aber meine Mutter erlaubt es nicht. Sie sagt immer, wenn ich sie frage, ich wäre noch zu jung. Ich darf erst mit 16 zur Disco.

Meine 20 jährige Schwester würde mich auch mal mitnehmen. Dann wäre ich ja sozusagen unter Aufsicht. Meine Freundin sagt, wenn man mit einer volljährigen Person in der Disco ist, ist das erlaubt. Nun möchte ich von Ihnen wissen, ab wieviel Jahren man in die Disco darf und wie lange man sich dort aufhalten darf.

Dr.-Sommer-Team:
Die Disco bleibt Dir nicht verschlossen

Ab 16 Jahren darfst Du offiziell bis 24 Uhr in die Disco. Jetzt, mit 14 Jahren, höchstens mit einer schriftlichen Einverständniserklärung Deiner Erziehungsberechtigten (Eltern). Bei einer möglichen Kontrolle mußt Du sie vorzeigen.

Wenn Deine Eltern damit einverstanden sind, kann Dich auch Deine volljährige Schwester be-

gleiten, die für diese Zeit die Aufsichtpflicht über Dich übernimmt. Das muß jedoch wirklich mit den Eltern abgesprochen sein, denn sonst könnten sie Schwierigkeiten bekommen.

Außerdem kannst Du die speziell für Jugendiche unter 16 Jahren stattfindenden Discoveranstaltungen besuchen. Die beginnen früher, enden nicht so spät, und Du brauchst keine spezielle Genehmigung.

All diese aufgezählten Möglichkeiten sind nach Auskunft der Rechtsanwälte völlig in Ordnung. Sprich sie mit deinen Eltern durch, vielleicht lassen sie jetzt eher mit sich reden.

Ich komme mit meinem Taschengeld nie aus

Ich kann mit meinem Geld nicht richtig umgehen. Ich bekomme im Monat 20 DM Taschengeld. Da ich ein Moped fahre, reicht es gerade für's Benzin. Wenn ich dann am Wochenende in eine Disco gehen möchte, habe ich fast kein Geld mehr und pumpe es mir von Freunden. Dann habe ich keine Ruhe, bis meine Freunde ihr Geld zurückhaben.

Manchmal muß ich auch Geld von meinem Sparbuch abheben, aber da ist auch nicht mehr viel drauf. Ich finde einfach, daß es so nicht mehr weitergehen kann. Ich sehe überhaupt keine Zukunft mehr für mich. Vielleicht kommt es auch daher, daß ich früher immer verwöhnt wurde und jetzt mit meinem Geld nicht umgehen kann.

Ich habe schon versucht, auf dieses und jenes zu verzichten, doch das führte schließlich zum Diebstahl. Wenn ich kein Geld habe, klaue ich mir eben die Sachen, die ich unbedingt möchte. Bis jetzt haben sie mich noch nicht erwischt, aber wenn ich so weitermache, dann geht's bestimmt bald schief. Es ist schon wie eine Sucht.

Dr.-Sommer-Team:
Verhandle über eine angemessene Erhöhung!

Ich wundere mich nicht, daß Du mit Deinem Taschengeld nicht auskommst. 20 DM sind für eine 16jährige Jugendliche wirklich zu wenig. Zwar gibt es kein gesetzlich festgelegtes Recht auf Taschengeld, weshalb Du folglich auch keinen 'Rechtsanspruch' auf (mehr) Taschengeld hast; aber im Durchschnitt bekommen Jugendliche in Deinem Alter etwa 50 bis 80 DM monatlich, je nach Einkommen der Eltern, das immer zu berücksichtigen ist.

Taschengeld soll dazu dienen, Kinder und Jugendliche an den Umgang mit Geld zu gewöhnen. Das gelingt am besten dadurch, daß sie sich mit ihrem zur Verfügung stehenden Geld in eigener Verantwortung das kaufen, was sie so brauchen: Discobesuch, Erfrischungsgetränke, Kosmetika, Bücher,

Schallplatten, usw. Für größere Anschaffungen muß natürlich erst mal gespart werden, das ist klar.

Unterhalte Dich ernsthaft mit Deinen Eltern über die Höhe Deines Taschengeldes! Wenn sie nicht unter besonderen finanziellen Belastungen stehen, sollte eine angemessene Erhöhung drin sein.

Mach Dir dazu eine Liste von den Dingen, zu denen Du Geld brauchst. Unterscheide jedoch, was Dir wirklich wichtig ist und was eher "Luxus" ist, auf den Du verzichten oder für den Du sparen mußt. Ich denke, Du wirst die wichtigsten Ausgaben dann finanzieren können.

Wenig oder kein Geld rechtfertigt Diebstahl nicht. Du wirst damit aufhören, selbst wenn Du keine Erhöhung bekommst. Wende Dich dann an Verwandte, schildere ihnen Deine Lage und bitte sie um Unterstützung. Sollten Dir die Diebstähle weiterhin zu schaffen machen, wird Dir jede Jugendberatungsstelle kostenlos und streng vertraulich helfen.

Zum Lachen

Explain in your own words the humour of these cartoons:

Grüß Gott!

– Bist du zum ersten Mal in Deutschland?
– Nein, zum zweiten Mal … Ich war voriges Jahr in Bonn.
– Seit wann bist du denn hier bei uns in München?
– Seit drei Tagen. Ich bin am Montag abend angekommen.
– Wie lange bleibst du noch?

– Ich bleibe noch drei Tage … bis Sonntag. Ich fahre am Sonntag vormittag wieder ab.
– Was hältst du von Deutschland?
– Es gefällt mir sehr gut!

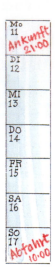

The following expressions will be useful for talking about your stay:

Ich bin	gestern, vorgestern, vor drei Tagen, am Wochenende, am Sonntag (abend), vorigen/letzten Montag, am dritten Juli, usw.	angekommen.
Ich	bin schon drei Tage, eine Woche	hier.
	bin seit gestern, seit drei Tagen, seit einer Woche	
Ich bleibe	bis Freitag, bis zum Wochenende, noch drei Tage	hier.
Ich fahre	morgen, übermorgen, in drei Tagen, am Freitag (vormittag), nächsten Dienstag, usw.	wieder ab.

Sag mal!

Work out what these people would say in answer to these questions, and then play out the dialogue with a partner:

Wann | bist du / seid ihr / sind Sie | angekommen?

Seit wann | bist du / seid ihr / sind Sie | denn hier?

Wie lange | bleibst du / bleibt ihr / bleiben Sie | noch | bei uns in Deutschland?

Wann | fährst du / fahrt ihr / fahren Sie | wieder ab?

ANKUNFT 9.00   SA SO MO DI MI DO FR SA SO MO DI MI   ABFAHRT 1400

ANKUNFT 23.00   MI DO FR SA SO MO DI   ABFAHRT DI 07.30

ANKUNFT 0.630   SO MO DI MI DO FR SA SO MO DI   ABFAHRT 23.00

54

Was hältst du davon?

Listen to these eight Germans speaking about their experiences in Great Britain. In each case, note down:
a whether it is a compliment or a criticism
b details of what they say.

Was hast du schon gemacht? . . . Was möchtest du noch machen?

Listen to these eight German-speaking visitors to Great Britain talking either about something they have done, or something they intend to do. Copy out the grid and give the information asked for:

Und du?

a How would you explain that you have done these things?

(*Ich habe . . . .* + past participle/
Ich bin . . . . + past participle)

b How would you explain that you intended to do these things?

(*Ich . . .e/*
Ich hoffe, . . . zu + infinitive/
Ich habe vor, ... zu + infinitive)

Jetzt bist du dran!

Write a similar card, or short letter extract, in which you include the following details:

When you arrived in Muddicombe; that the weather is bad; that it is boring; what you are doing today; what you did yesterday; what you have planned for tomorrow; how much longer you are staying/when you're leaving.

G 5, 13, 14, 19, 58

WIE KOMME ICH AM BESTEN DORTHIN?

Entschuldigen Sie, bitte ...!

a –Entschuldigen Sie, bitte. Wie komme
ich am besten zum Verkehrsamt?
–Gehen Sie hier geradeaus ... Nehmen
Sie die zweite Straße links. Das
Verkehrsamt ist auf der linken Seite.
–Danke schön.
–Bitte schön.

b –Können Sie mir helfen? Ich suche die
Post.
–Biegen Sie an der nächsten Ampel
rechts ab. Dann fahren Sie geradeaus.
Die Post ist auf der rechten Seite.
–Danke schön.
–Keine Ursache.

c –Entschuldigen Sie, bitte. Wo ist das
Rathaus?
–Da kann ich Ihnen nicht helfen. Ich bin
hier selbst fremd.

The following expressions will be useful for asking the
way, and giving directions:

Wie komme ich am besten zum .../zur .../zum ...?
Ich suche den/die/das/einen/eine/ein ...
Wo ist der/die/das ...?

Fahren Sie Gehen Sie	geradeaus.		
	diese Straße/die –––––straße entlang.		
	bis zum .../zur .../zum ...		
	am .../an der .../am ... vorbei.		
Nehmen Sie die nächste/erste/zweite/dritte, usw. Straße			links/rechts.
Biegen Sie am .../an der .../am ...	links/rechts		ab.
Er/Sie/Es ist in der ... straße auf der linken/rechten Seite.			

Wie komme ich dorthin?

Here are some places you might be looking for in a German town. How would you ask the way to each of them?

Wie bitte?

Imagine you are at the place indicated. Listen to these people giving directions to the ten places below, and try to identify where they are on this map:

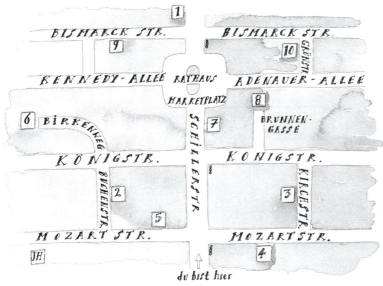

das Landesmuseum

das Parkhaus

die Pension Müller

das Capitol Kino

das Hotel Adler

das St Hubertus Gymnasium

das Kaufhaus Hertie

das Stadthallen restaurant

das Gasthaus zur Krone

das Hallenbad

With your partner, play the part of **a** a British tourist **b** a German. Ask the way to the places you identified above, and give directions to them.

Jetzt bist du dran!

Using the map above, complete this message to someone, giving him/her directions from the *Jugendherberge* to the swimming pool:

Ich bin ins Schwimmbad
gegangen. Falls Du nicht
weißt, wo das ist:

 3b, 9, 12, 60

21 AM BESTEN FAHREN SIE ...

Entschuldigen Sie, bitte ...!

 Listen to these conversations and answer the questions:

Auf der Straße
Where does the woman want to go?
How is she advised to travel?
What information is she given?

Im Bus
What is he told to do?
How much is the woman's fare?
What does she ask the driver to do?

Am Fahrkartenschalter auf dem Bahnhof
Where does the man want to go?
What sort of ticket does he get?
How much does it cost?
What details is he given about his train?

The following expressions will be useful when you are travelling on public transport:

Wie komme ich am besten	nach ...? zum .../zur .../ zum ...?
Am besten fahren Sie	mit dem Zug/Bus. mit der Straßenbahn/U-Bahn/S-Bahn, usw.
Wo ist	der nächste Bahnhof? die nächste Haltestelle/U-Bahnstation?

Einmal/Zweimal, usw.		nach Bonn, usw.	einfach. hin und zurück.
Ein Erwachsener Zwei Erwachsene	und	ein Kind zwei Kinder	nach Bonn	einfach. hin und zurück.
Erste(r)/Zweite(r) Klasse.			

Wann	fährt der nächste Bus/Zug nach Bonn ab?	Um 14 Uhr 30.
	kommt er in Bonn an?	
Wo Auf welchem Gleis	fährt er ab?	Vom Marktplatz. Von Gleis zwei.

Fahrkarten lösen

What would the following people say to get tickets for the journeys indicated?

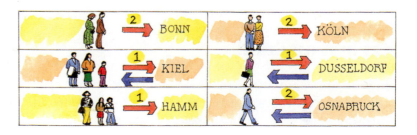

58

Fragen ... Antworten ...

Here are a number of questions and answers to do with public transport. Pair them up correctly:

A Wie komme ich am besten nach Bremen?
B Muß ich umsteigen?
C Wo ist der Fahrkartenschalter?
D Ist das der Zug nach Bremen?
E Wo muß ich umsteigen?
F Ist das ein Schnellzug?
G Wann fährt der nächste Zug?

1 *Um 16 Uhr 45.*
2 *Nein, das ist der Zug nach Hannover.*
3 *Mit dem Inter-City-Zug um 13 Uhr 55.*
4 *Nein, das ist ein Nahverkehrszug.*
5 *Nein, der Zug fährt direkt dorthin.*
6 *Dort drüben, neben dem Zeitungskiosk.*
7 *Sie steigen in Köln um.*

Auskunft

Listen to these six people at the *Münster Hauptbahnhof* asking for information about certain trains. Copy out the grid and give the information asked for:

Wohin ?	Abfahrt?	Ankunft?	Gleis ?	Weitere Details?
1				
2				

Das 24-Stunden-Ticket

Mit einer Karte 24 Stunden lang fahren, sooft Sie wollen und wohin Sie wollen in unserer Münchner Region, mit S-Bahn, U-Bahn, Straßenbahn und Bus.

Schnell, bequem und unbeschwert.

Man unterscheidet zwei Geltungsbereiche fur diese Fahrkarte. Das "blaue" 24-Stunden-Ticket zu DM 6, - (Kinder DM2,-) genügt für den München-Besuch. Es hat einen Geltungsbereich für das gesamte erweiterte Stadtgebiet. Alle Münchner Sehenswürdigkeiten können hiermit angefahren werden.

Wer zusätzlich noch die Umgebung Münchens mit der S-Bahn kennenlernen will, sollte ein 24-Stunden-Ticket "grün" zu DM 10,- (Kinder DM 4,-) wählen.

Das ist praktisch!

Read this advertisement for special tickets you can obtain in Munich. Jot down in your own words in English as much about them as you can:

Play the roles of **A** a tourist **B** a railway official, and act out the following dialogues based on the timetable opposite:

a **A** asks if there is a train to Aachen around a certain time of the day.
   B gives the times of trains nearest to the requested time.
   A chooses one and asks what time it arrives in Aachen.
   B answers.
   A asks if he/she has to change.
   B answers.

b Having decided what time of day it is ...
   A asks the time of the next train to Aachen.
   B answers.
   A asks for a second class return.
   B tells him/her the price.
   A asks when it arrives and if he/she has to change.
   B answers.
   A asks the platform number.
   B answers.

  G 8, 10, 45, 65

22 IM EINKAUFSZENTRUM

Bei uns gibt's …

Bei uns in Bad Engen gibt's ein großes, modernes Einkaufszentrum mitten in der Fußgängerzone. Dort gibt es Geschäfte und Boutiquen aller Art. Dort findet man einfach alles.

Bei uns in Fichteldorf gibt's nur einen einzigen Laden. Das ist ein kleines Lebensmittelgeschäft. Das ist nicht sehr praktisch. Wir fahren meistens in die nächste Stadt. Das ist aber ziemlich weit.

Und bei euch? Was für Läden und Geschäfte gibt's bei euch in der Nähe?

The following expressions will be useful for talking about what shops there are in a certain place:

Hier (in der Nähe)	gibt's	einen …/eine …/ein …
Bei uns (im Dorf)		keinen …/keine …/kein …
In *Anytown*		zwei/mehrere …/viele …

Here are some shops and services you may need to talk about:

die Bäckerei/die Konditorei/die Metzgerei (Fleischerei)/die Apotheke/ die Drogerie/der Supermarkt/das Lebensmittelgeschäft/das Kaufhaus der Zeitungskiosk/die Schreibwarenhandlung/der Plattenladen/der Obst- und Gemüseladen/die Post (das Postamt)/die Bank (Sparkasse)/

Schaufenster

Here are some shop signs and shop interiors/ exteriors.
Can you match them up?

Wohin gehst du?

Imagine that you needed to buy these things. With a partner work out a series of dialogues based on the model:

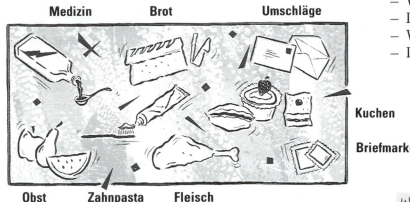

Medizin   **Brot**   **Umschläge**

Kuchen

Briefmarken

Obst   **Zahnpasta**   **Fleisch**

– Wohin gehst du, (*name*)?
– Ich gehe zum/zur/zum . . .
– Warum?
– Ich | brauche. . .
       muß. . . | kaufen.
       möchte. . . |

Gibt's hier in der Nähe. . .?

Here are six people asking about certain shops. Copy out the grid, and give the information asked for:

Was passiert?

Here are six conversations you might overhear in various shops. In each case note down, in your own words in English, the gist of what is going on.

Prima! . . . Zu dumm!

If you saw these signs while out shopping, which one would please you and which one annoy you, and why?

Jetzt bist du dran!

Here is a note you might find, telling you where your German friend has gone. Write a similar one yourself, using different details for the parts underlined:

Was sucht er/sie? | Wo ist das?

1

2

GROßER ERÖFFNUNGS-VERKAUF!

Riesenrabatte-Hunderte von Sonderangeboten.

50% Nachlass auf alle Elektrowaren

25% Nachlass auf alle anderen Haushaltswaren

Montag und Dienstag wegen Umbau GESCHLOSSEN!

11 Uhr
Ich gehe gerade zur Bäckerei, um Brötchen zu kaufen. Ich bin in 10 Minuten wieder da.
Boris

 **G** 2, 3b, 8

23 EINKAUFSZETTEL

Im Lebensmittelgeschäft

Was kann man in einem
Lebensmittelgeschäft kaufen?
Wo kauft deine Familie ein?
Wer in deiner Familie geht einkaufen?
Wie oft kauft ihr ein?
Was hältst du für besser, einen
Supermarkt oder einen Eckladen?
Warum sagst du das?

Auf dem Markt

Was für Obst und Gemüse siehst du an
diesem Stand?
Was sagen die Frauen wohl zueinander?
Was für Obst und Gemüse ißt du gern?
Was für Obst und Gemüse magst du nicht
essen?
Was kann man sonst auf dem Markt
kaufen?

These expressions will be useful when
doing the shopping:

Haben Sie	Tee, Kaffee, Tomaten, usw.	?
Kann ich hier		bekommen?
Ich möchte/hätte gern Geben Sie mir bitte	ein Pfund Äpfel. ein Kilo Kartoffeln. eine (kleine/große) Flasche Mineralwasser, usw.	
Was kostet der/die/das..... Was kosten die ...	(hier)? (dort)?	

Was kaufen sie? Was kostet es?

Listen to these eight people buying various articles of
food. Copy down the grid and note down in each case
a what is being bought (including the amount), and
b what it costs:

Sonderangebote

Listen to this supermarket announcement. What five articles are on special offer, and at what price?

Stark reduziert!! Preis-Volltreffer!!

Sonderpreise!! Super-Knüller!!

Alles zu Wahnsinnspreisen!!

Ihr Preisparadies!! Spitzenangebot!!

Riesen-Auswahl!!

Wieviel möchten Sie?

Match up these quantities with the articles illustrated:

Geben Sie mir bitte:
ein Kilo …
ein Pfund …
eine Dose …
hundert Gramm …
eine Tüte …
eine Tafel …
eine Schachtel …
ein Glas …
eine Flasche …

Karotten/Möhren Marmelade Bonbons Birnen Schinken

Milch

Äpfel

Cola Pralinen Mineralwasser Wurst Schokolade Frankfurter

Kartoffeln

With a partner, play the parts of **A** a shopkeeper and **B** a customer:

A asks what **B** wants.
B asks if he/she has a certain item.
A says yes or no (if yes, asks how much **B** wants).
B asks the price.
A answers.
B says how much he/she wants.
A asks if that's all.
B *either* says that's all *or* asks for further item(s).

Base your dialogues on the materials opposite.

Ital. Trauben -Italia-, Klasse I 1 kg **2.59**
Frische aus deutschen Landen
Dtsch. Äpfel -Cox Orange-, Klasse I 1 kg **2.19**
Franz. Birnen oder
Span. Birnen -Williams-, Klasse 1 kg **2.59**
AVIKO Ofenfrites vorgebacken 750g Beutel **2.65**
Piasten Schokolade massiv 100g Tafel **1.29**
Langnese Bienenhonig 500g Glas **4.49**

Frische Eier Güteklasse A, Gewichtsklasse 4 10-Stück-Packung **2.29**
Coca-Cola FANTA Sprite lift MEZZO MIX 0,33Ltr. Dose **1.19**
KAFFEE GOLD Kaffee röstfrisch gemahlen 500-g-Pckg. **5.69**
Hackfleisch halb und halb 1000 g **6.99**

Milky Way BOUNTY M-M-s BALISTO je Packung **3.00**

Einkaufs-Notizen

Jetzt bist du dran!

Imagine you are going on a day trip. The German family you are staying with is going shopping. Make a shopping list of ten things they could get for you, including amounts/quantities where necessary.

G 21, 28, 58, 59

24 FÜR DEN KLEINEN APPETIT

Hunger? ... Durst ...?

Wenn du in der Stadt bist und Hunger oder Durst hast, mußt du nach einem Schild wie diesem hier suchen ...

FLEISCH - WURST - IMBISS

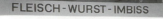

Im Café

Listen to this conversation in a café and say whether the statements are correct or not:

Stimmt das oder stimmt das nicht? Antworte:

Ja! Nein! oder **Doch!**

1 Der Junge ist müde, das Mädchen aber nicht.
2 Beide haben Durst.
3 Sie gehen in ein Restaurant.
4 Das Wetter ist kalt.
5 Drinnen ist es kühler als auf der Terrasse.
6 Das Mädchen möchte einen Kaffee und der Junge eine Cola.
7 Der Junge will nichts zu essen haben.
8 Das Mädchen hat auch keinen Hunger.

The following expressions will be useful when you are in a café:

Herr Ober!/Fräulein!/Hallo!
Die Speisekarte, bitte!/Kann ich bitte die Speisekarte haben?
Ich möchte bitte bestellen.
Zahlen, bitte!/Ich möchte bitte zahlen.
Das stimmt so. Danke, stimmt so.

Ich möchte bitte...

How many orders can you make from the following?

einen ...   eine ...   ein ...
    einmal ...   zweimal ...
eine Flasche ...   zwei Flaschen ...
    eine Tasse ...   zwei Tassen ...
ein Glas ...   zwei Glas ...
        eine Kännchen ...   zwei Kännchen ...
        eine Portion ...   ... zwei Portionen ...
ein Stück ...   zwei Stück ...

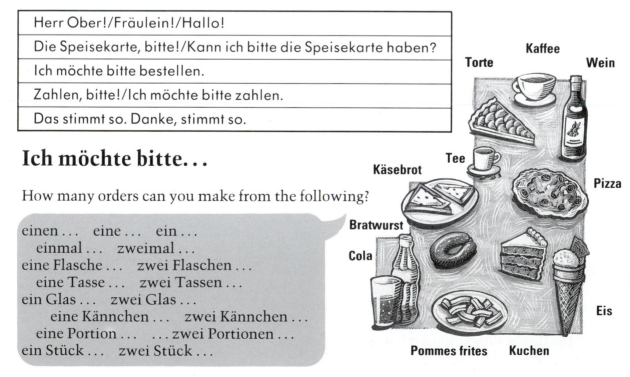

Kaffee
Torte   Wein
Tee
Käsebrot
Pizza
Bratwurst
Cola
Eis
Pommes frites   Kuchen

64

Was kostet das, bitte?

Copy out these items from a café menu, and add the prices as you hear them mentioned in the dialogues:

Warme Getränke
Tasse Kaffee ...? DM
Kännchen Kaffee ...? DM

Kalte Getränke
Cola ...? DM
Apfelsaft ...? DM

Eisspezialitäten
Gemischtes Eis ...? DM
Gemischtes Eis mit Sahne ...? DM

Kleine Küche
Käse- oder Salamibrötchen ...? DM
Schinken- oder Wurstbrötchen ...? DM

Kuchen u. Torten
Apfelkuchen ...? DM
Obsttorte ...? DM

Du mußt wählen ...!

Listen to these six conversations. In each one someone is given a choice. Copy out the grid, and note down what choice they are given and what their decision/answer is.

	Wahl	Antwort
1		
2		
3		

a Construct a dialogue with your partner, based on the café menu extract opposite, in which you:

– discuss whether you are going to have breakfast, and if so, which one, (including any changes to the set 'menus')
– give reasons for your choices (not hungry? very hungry? don't like a certain item? too expensive? etc.).

b One of you then calls over the waiter/waitress and you each give your order; he/she checks the order by repeating each item.

FRÜHSTÜCK

1 Brötchen, Schwarzbrot,
Butter, Marmelade und Honig,
1 Tasse Kaffee   3,80

1 Stück Baguette, 1 Croissant,
Marmelade oder Honig, Camembert,
Milchkaffee   5,80

2 Brötchen, Schwarzbrot, Butter
1 Ei, Käse, Salami, Marmelade oder
Honig, 1 Tasse Kaffee   6,50

2 Brötchen, Schwarzbrot, Butter,
1 Ei, Käse, Salami, Schinken,
Kräuterquark, Marmelade oder
Honig, Orangensaft 0,1l,
1 Tasse Kaffee   8,80

als Sektfrühstück mit 1 Piccolo 12,00

Wahlweise auch mit Tee, Kräutertee
oder Kakao
Milchkaffee und Änderungen
gegen Aufpreis

HEISSE GETRÄNKE

KAFFEE

Tasse Kaffee oder ital. Kaffee	2,00
Kännchen Kaffee	3,90
Espresso	2,00
Milchkaffee	2,90
Cappuccino	2,50
Cappuccino Spezial (mit Amaretto und Vanilleeis)	4,80
Holländischer Kaffee (mit Eierlikör und Sahne)	4,30
Irish Coffee	4,80
Pharisäer	4,80
Kaffee Armagnac	4,80

KAKAO

Tasse Kakao		2,00
	mit Sahne	2,50
großer Becher Kakao		2,70
	mit Sahne	3,50
Kakao mit Rum und Sahne		4,80

Was bedeutet das?

What are the arrangements for eating here?

Here are a number of things you might find on a menu in a café/snack bar. Try to work out what they mean:

Täglich geöffnet

Selbstgebackener Kuchen an der Theke

Endpreise: Bedienung und Mehrwertsteuer sind in den Preisen inbegriffen

Im Straßencafé und an Sonn- und Feiertagen servieren wir nur Kännchen

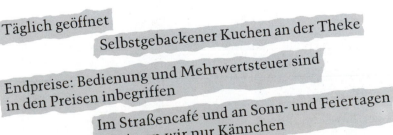

Selbst-Grillen im Biergarten

Bratwurst	2,-	Krautsalat	2,-
Krakauer	2,50	Kartoffelsalat	2,-
Kasseler	3,-	Nudelsalat	2,-
Nackensteak	3,80	Brötchen	-.20

G 8, 58

Was kaufen wir?

Imagine you are organising a packed lunch for yourself and three other friends. With a partner, draw up a shopping list in German, making sure that you are providing a balanced meal. There are only two snags! You can only include items advertised below, and you have only 20 DM to spend!

Hachfleisch
Halb und halb
1kg **6.99**

Deutsch Apfel
1kg **2.19**

Meistertorten
Mandelbienenstich, tiefgefr., ein knuspriges Vergnügen. Goldbraune Mandel-Karamel decke, vorgeschnitten, gefüllt mit fein-frischer Vanille-Sahne-Creme
800-g-Pckg.
7.99

Gewürzfleisch
herzhaft, pikant
100g **1.58**

Dreikorn-Joghurt
fruchtig frischer Fruchtjoghurt
200-g-Becher **0.69**

Herta Braten-Sortiment
Westf.Saftschinken od. Farmer-Schinken
100g **2.48**

Ital. Trauben
Klasse 1
1kg **2.59**

Schweppes Bitter Lemon
Limonade, Ginger Ale od. Tonic Water
0.7-l-Flasche **1.49**

Herta Krönchen-Aufschnitt
sortiert
100g **1.78**

"Ramee"
Camembert
deutscher Weichkäse, 55% Fett i.Tr., rahmig pikant, in Ruhe gereift
125-g-Schachtel **1.99**

»Jaus« Knäckebrot
extra zart, Leinsamen oder Sesam
200-g-Packung **0.99**

Rinder-Zunge
oder dtsch. Putenbrust
100g **2.38**

Ritter SPORT Schokolade
verschiedene Sorten, quadratisch, praktisch, gut jede 100-g-Tafel
1.19

Ist das nicht typisch!!

– Wo ist der Willy?
– Was macht er dort?
– Was passiert?

Das 24-Stunden Ticket

You have already seen some details of the *24-Stunden Ticket* available in München. Here are some further details. Read them and answer the questions in English:

So fahren Sie mit dem 24-Stunden-Ticket

24-Stunden-Tickets erhalten Sie
● aus Automaten,
● bei den Fremdenverkehrsämtern,
● beim amtlichen bayerischen Reisebüro (abr).
● bei den Zeitkartenstellen und bei allen Fahrkartenverkaufsstellen des MVV in der Stadt und im Umland,
● in vielen Münchner Hotels und auf den Campingplätzen Thalkirchen und Obermenzing.

Einfacher geht es nicht: Sie unterschreiben Ihr Ticket und entwerten es vor Antritt der ersten Fahrt in einem der Entwertungsgeräte. Es gilt nur für Sie, in Verbindung mit Ihrem amtlichen Lichtbildausweis.

Mit einem 24-Stunden-Ticket können Sie beliebig häufig U-Bahn, S-Bahn, Straßenbahn und Omnibusse benutzen – 24 Stunden lang. Ein 24-Stunden-Ticket ist deshalb die ideale Fahrkarte für Sie und dazu noch preiswert. Es gibt 24-Stunden-Tickets für Erwachsene und für Kinder, je eines für das erweiterte Stadtgebiet (die blauen Zonen im Tarifschemaplan) und für das gesamte Tarifgebiet (die blauen und grünen Zonen). Den Tarifschemaplan (Seite 21) finden Sie an allen Bahnhöfen und Haltestellen.

Die Preise der 24-Stunden-Tickets

Erwachsene	
Innenraum (Stadtgebiet)	DM 6.50
Gesamttarifgebiet	DM 12.00
Kinder (4 – 14 Jahre)	
Innenraum	DM 2.00
Gesamttarifgebiet	DM 4.00

An allen Bahnhöfen der U-Bahn und der S-Bahn finden Sie große Vitrinen mit dem Tarifschemaplan, dem Liniennetzplan, dem Fahrplan der dort verkehrenden Linien und einem Umgebungsplan.

Der Tarifschemaplan und der Fahrplan der jeweiligen Linien hängen auch an allen Haltestellen von Straßenbahn und Omnibussen aus.

Ein weißes „K" auf grünem Grund zeigt Ihnen, wo Sie Fahrkarten des MVV kaufen können.

Eine Auskunftstelle speziell für die Gäste der Stadt befindet sich im Fußgängergeschoß des S-Bahnhofs Hauptbahnhof. Dort und am Marienplatz gibt es auch eine elektronische Bildschirmauskunft des MVV.

– Why are four different prices given?
– Where can you get these tickets?
– Where can you get travel information?

Eine Einladung

If you saw this advertisement while on holiday in Germany, would you be interested? Jot down the gist of what is on offer in English for your family/friends:

67

Bahnhofsdurchsagen

Listen to these five train announcements, copy out the grid, and fill it in with any information you hear:

Zug	aus	nach	Auskunft
1			
2			
3			

Sonderangebote der DBB

Listen to these descriptions of four special tickets on offer from the *Deutsche Bundesbahn*. Copy out the grid and give the information asked for:

	Für wen ist das bestimmt?	Preis?	Wie lange ist es gültig?	Andere Details?
Taschengeld-Paß				
Junior - Paß				
Familien - Paß				
Tramper-Monats-Ticket				

Wollen wir hier essen? Wann?

You and your German friend see this sign on a Monday morning. The food is cheap, but do you like it? Construct a dialogue in which you discuss the various meals and decide which day you'll eat there.

Speiseplan 26.-30.10.
Montag: Weißkohleintopf m. Schweinefleisch 3.00
Dienstag: Gebratene Leber, Zwiebelsoße, Apfelreis + Kartoffeln 5.40
Mittwoch: Nackenbraten, Soße, Karottengem. + Kartoffeln 5.90
Donnerstag: Kasseler m. Sauerkraut Soße + Kartoffeln 5.90
Freitag: Serbisches Reisfleisch 4.90

Pizza Express

With a partner, construct two dialogues based on the advert below:
a a discussion with your friend about what to order
b a phone call to *Pizza Express* making the order.

PIZZA EXPRESS
Inh. Herbert Alt, Kaiserstr. 11, 5102 Würselen
TELEFON: 0 24 05 / 96 08
Schnitzel, Pizza, Salat, Pfannkuchen, alles frei Haus
Diese Woche zu empfehlen:

Pizza Hawaii
mit fr. Tomaten, Käse, Schinken, Ananas   9.50

Holl. Salat
mit Chinakohl, Früchten, Käse   12.50

Sahneschnitzel
mit Spaghetti   11.00

Kirsch-
pfannkuchen   8.00

Wir liefern täglich von 11.30 bis 14.30 Uhr
und von 17.30 bis 0.30 Uhr

Wo wohnst du eigentlich?

Listen to these six people telling you how to get to their houses. The first three (*Karl*, *Brigitte* and *Andreas*) give directions for a pedestrian coming from the station; the other three (*Petra*, *Ute* and *Rainer*) give directions for a motorist arriving where indicated on the map. Identify where all six people live, and note down any extra information you are given which may help you to find the places:

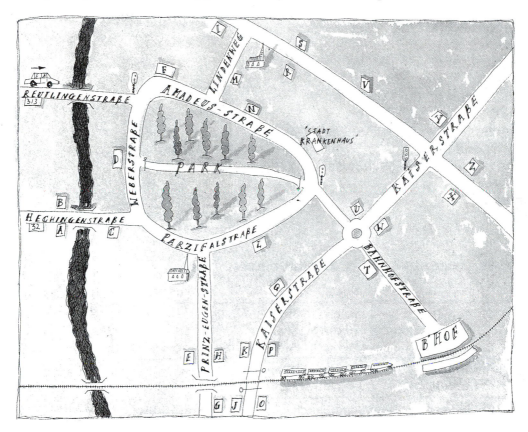

Ein Besuch

Imagine you are going to visit a family in Nürnberg. You decide to break the journey and visit a friend who lives in Frankfurt. Write a letter to this friend explaining the situation, and suggesting what you might do in the short time available. Base your letter on the information given below:

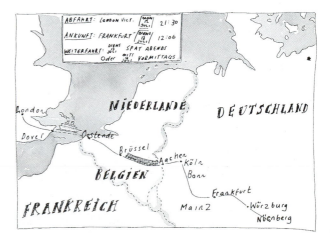

69

25 AUF DER POST

Am Schalter

Listen to the dialogues and find the correct statements:

Was ist richtig? Was ist falsch?

1 Der Mann will
  a eine Karte und einen Brief schicken.
  b zwei Karten und einen Brief schicken.
  c eine Karte und zwei Briefe schicken.
2 Eine Karte kostet a 0,60DM b 0,70DM
  c 0,80DM
3 Ein Brief kostet a 1,00 DM, b 1,20 DM
  c 1,30 DM
4 Zusammen muß er a 2,10DM b 2,20DM
  c 2,40DM zahlen.
5 Die Frau schickt das Päckchen nach
  a Schweden.
  b Sardinien.
  c Spanien.

6 Es kostet a 5,10DM b 3,50DM
  c 3,60DM
7 Sie gibt dem Schalterbeamten
  a einen Zehnmarkschein.
  b einen Zwanzigmarkschein.
  c einen Fünfzigmarkschein.

The following expressions will be useful at the post office:

Was kostet	ein Brief eine Postkarte		nach Großbritannien? in die Schweiz? in die USA/Vereinigten Staaten?	
Eine Briefmarke Zwei Briefmarken, usw.		zu	achtzig Pfennig, einer Mark	bitte.
Ich möchte dieses Paket/Päckchen nach England, usw. aufgeben.				

Wie sagt man das?

How would you ask for the following in German?

How would you enquire about the cost of the following in German?

Was wünschen Sie, bitte?

Listen to these eight dialogues in which people ask, and are told, the cost of sending cards/letters/parcels to various places. Copy out this grid and give the information asked for:

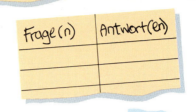

Was will er/sie schicken?	Wohin?	Was kostet das?

Was sagen sie?

Here are five conversations you might overhear in a post office in Germany. In each one an enquiry is made and answered. Copy out this grid and give the information asked for:

Frage (n)	Antwort (en)

Imagine that you have a German guest staying at your house who:
- says he/she wants to post something to someone (i.e. a card to his parents)
- asks if you have any stamps
- asks how much a stamp costs
- asks if/when the post office is open
- asks where the nearest post office is
- asks where the nearest post box is.

With a partner, work out appropriate answers to these questions and then act out the mini-dialogues produced.

Auskünfte

Here is some information about services offered by the *Deutsche Bundespost* and the *Österreichische Post*. Read the extracts carefully and answer the questions in English:

1 a What are you told about post office opening hours in Austria?
   b Why is the telephone number 83 21 01 given?
   c What is said about obtaining stamps?
   d What is said about telephoning from post offices?
2 a What service is being advertised here?
   b What information is given about post office opening hours in the Federal Republic?
   c What piece of advice is given to users of this service?

POST

Im allgemeinen sind die Postämter von Montag bis Freitag von 8 bis 18 Uhr geöffnet. Das **Hauptpostamt** (Wien 1, Fleischmarkt Nr. 19) und alle Bahnhofspostämter haben auch Nacht- und Sonntagsdienst. Postdienstliche Auskünfte: Telefon 83 21 01. Briefmarken sind in allen Postämtern und Tabak-Trafiken erhältlich. Briefmarken-Automaten vor den meisten Postämtern. Von den Postämtern aus können Sie im Selbstwählverkehr ohne Aufschlag und ohne die bei Automaten benötigten Münzen praktisch in alle Welt telefonieren.

Bundesrepublik Deutschland

„Ich möchte Geld abheben."

Mit einem Postsparbuch kommen Sie unterwegs überall schnell zu Bargeld: Bei über 18.000 Postämtern und Poststellen im Bundesgebiet und in Berlin (West) können Sie Geld abheben.
Und das zu günstigen Zeiten. Denn viele Postämter haben bis 18 Uhr geöffnet, manche bis 20 oder 22 Uhr und einige sogar rund um die Uhr. Selbst am Wochenende bekommen Sie bei der Post noch Geld: Alle Postämter und Poststellen sind am Samstagvormittag geöffnet. Und rund 600 Postämter auch sonntags.
Noch ein Tip: Ihr Postsparbuch wird für Diebe oder unehrliche Finder wertlos, wenn Sie Postsparbuch und Ausweiskarte immer getrennt aufbewahren.

G 8, 38, 59

26 UND DAS WETTER...?

Wettervorhersagen

A Was der Wetterdienst meldet

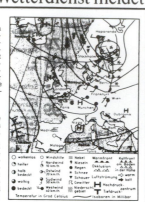

Wetterlage
Zwischen einem Hoch bei Großbritannien und einem Tief über Skandinavien wird mit nord-östlicher Strömung zunächst naß-kalte, zu Beginn der Woche zunehmende Kaltluft herangeführt.

Vorhersage
Bedeckt, zeitweise Regen, der abends in Schnee übergeht. Tageshöchsttemperaturen bei 2°. Nachts um −5°. Frische Nord-West-Winde mit Sturmböen. – Aussichten: Winterlich kalt, zeitweise Schneefall oder Schneeschauer.

Wie wird das Wetter an den zwei Tagen sein?
Kannst du raten, zu welcher Jahreszeit das ist?
Und in welchem Monat?

B

Was der Wetterdienst meldet

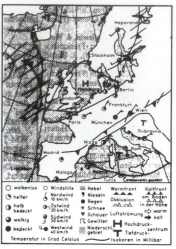

Wetterlage
Ein Hochdruckgebiet schwenkt mit einem Kern vom Westen heran und bestimmt vorerst unser Wetter.

Vorhersage
Heiter in den Mittagsstunden, im Landesinneren wolkig und später wieder allgemein wolkenarm und niederschlagsfrei. Höchsttemperaturen an der Nordsee 18° bis 20°, sonst 20° bis 22°. Temperaturen nachts um 10°. Allgemein schwacher Wind aus westlichen Richtungen. – Weitere Aussichten: Am Wochenende vielfach sonnig und trokken, nur vorübergehend Durchzug von Wolkenfeldern. Leichter Temperaturanstieg.

The following key words will help you to understand weather forecasts:

Sonne(nschein)/sonnig/heiß/Hitze/heiter/trocken/wolkenlos
Regen/regnen/regnerisch/naß/Schauer/Niederschlag/feucht
Wolken/wolkig/bewölkt/bedeckt   Nebel/neblig/Dunst
Eis/Glatteis/Frost/(ge)frieren/Schnee(regen)/schneien/Hagel
Blitz/Donner/Gewitter/gewittrig/Sturm/stürmisch
veränderlich/wechselnd/unbeständig
Wind/windig/Böen   stark   mäßig   schwach
Wetterbesserung/Temperaturanstieg
Höchsttemperatur
Tiefsttemperatur

Möchtest du ...?

Listen to these five short dialogues. In each one someone is invited to do something. In each case, his/her answer has something to do with the weather. Copy the grid and give the information asked for:

Einladung	✓x	Warum (nicht)?
1.		
2.		
3.		

The following will help you to speak about the weather
in the past, present and future:

Past: Present: Future:	Es	war ist	kalt, warm, regnerisch, windig, herrlich, schlecht, usw.	
		wird		sein.
Past: Present: Future:	Es	hat geregnet/geschneit/gehagelt/gefroren. regnet/schneit/hagelt/(ge)friert. wird regnen/schneien/hageln/(ge)frieren, usw.		

Wetterbericht

Listen to this radio weather forecast and answer the
questions:
1 How is the weather going to change in the course of
   the day?
2 What temperatures are forecast for tonight?
3 Will tomorrow be better or worse than today?

Ein Leserspiel

Read these details of a competition in *Neue Presse* and
find out **a** what you have to do to enter
b what the prizes are.

Provide yourself with a weather forecast from an English
newspaper. With a partner, construct a dialogue between
A a British host **B** a German guest in which:
A asks what they are going to do tomorrow.
B asks what the forecast is.
A tells him/her.
A and **B** discuss possible activities, and decide what to
   do.

Jetzt bist du dran!

a Read this information about weather in Austria and
    write out the details in your own words in English.
b Write a similar account in German of the sort of
    weather you usually get in your part of the United
    Kingdom.

**Heute Einsendeschluß:
Das Leserspiel ums Winterwetter**

Wer den ersten Schneefall richtig tippt, kann gewinnen

HANNOVER. **Sehen Sie schwarz für einen weißen Winter? Auch mit diesem Tip können Sie Glück haben und eine Urlaubsreise in den Harz gewinnen. Die große Preisfrage im NP-Quiz: Wann fällt der erste Schnee in Hannover?**

Außer dem einwöchigen Urlaub im Harzer Hotel Wolfshof sind noch ein Paar Langlaufski (gespendet vom Kaufhof) und zehn Wanderbücher über den Harz zu gewinnen. Also schnell zur Postkarte greifen und raten, wann die ersten Flocken fallen. Heute? Morgen? Oder gar erst zum nächsten Weihnachtsfest? Egal – der Termin sollte nur möglichst genau (Datum und Uhrzeit) angegeben werden.

KLIMA
Am angenehmsten, meist warm und schön, sind die Monate Mai, Juni and September. Im Juli und August kann es recht heiß werden (über 30 Grad Celsius). In April und Oktober wechseln warme und kühle, trockene und regnerische Tage. Von April bis September gilt Sommerzeit – es wird erst zwischen 8 und 10 Uhr abends dunkel. Von November bis März ist es zumeist kalt, oft mit Schnee von Dezember bis Februar.

G 13, 14, 15, 17

Das ist sehr nett ... !

Kann ich dir helfen?

Nein danke. Ich brauche keine Hilfe. Das kann ich selbst machen.

Ja ... Du kannst das Geschirr in den Schrank tun ... und das Besteck in die Schublade.

Kann ich Ihnen helfen?

🦉 These expressions will be useful for getting help and borrowing things:

Kannst/Könntest du Können/Könnten Sie Würdest du Würden Sie	...... + *infinitive*?	
Hast du Haben Sie	einen/eine/ein ... usw.?	
Darf ich (mir) bitte einen/eine/ein ... usw.	borgen? ausleihen?	
Darf ich einen/eine/ein ... usw.	nehmen? benutzen?	

Kannst du mir helfen?

Using some of the structures above, match these problems with appropriate requests for help:

Ich möchte mir die Haare waschen ...
Ich habe Kopfschmerzen ...
Ich möchte mit dem Zug nach
            Köln fahren ...
Ich sollte einen Brief an meine
            Eltern schreiben ...
Ich habe Hunger ...
Ich habe Durst ...
Ich möchte schnell ins Dorf fahren ...
Ich habe schmutzige Wäsche ...

das Badetuch   das Shampoo   die Waschmaschine

ein belegtes Brot

der Haartrockner
der Fön

der Kuli

der Fahrplan

ein Glas Cola

das Schreibpapier
der Umschlag(̈-e)

das Fahrrad

Was willst du denn?

Listen to these eight dialogues. In each case, someone is trying to borrow/get something. Copy the grid and give the information asked for:

Was will er/sie haben?	✓ X	(evtl) warum nicht?
1		
2		
3		

Was kann ich tun?

Listen to these six dialogues, in each of which someone is asking what he/she can do to help. In each case, note down what answer he/she receives.

Was tue ich damit?

Someone wants to help with the tidying up. What do you think is being said?

Wohin	tue ich den/die/das . . . ? kommt der/die/das . . . ? kommen die . . . (plural)?

Tu' ihn/sie/es Er/Sie/Es kommt Sie kommen	in den/in die/ins . . .

die Reste(pl.)

der Käse
der Kühlschrank   das Brot   der Brotkasten

die Jacke

der Kleiderschrank   der Abfalleimer

das Besteck

die Schublade   das Geschirr   das Büfett
der Schrank

With a partner, construct a dialogue between **A** a German parent and **B** a British guest in which:
A says he/she is going into town and asks if there's anything he/she can do.
B asks if he/she can do the things on the list opposite.
A says whether he/she can or can't (and if not, why not).

-Buy sun-tan oil
-Post letters
- Get cards + stamps
- Pick up jacket
from cleaners

Und jetzt bist du dran!

Imagine you had to prepare a German project for which you needed a number of authentic items and/or some information. Write a letter in which you ask a German penfriend for help. Here are a few phrases which may help:

Ich brauche Deine Hilfe: Für eine Deutscharbeit brauche ich... Ich brauche außerdem.... könntest Du mir bitte... schicken? kannst Du mir sagen: Wann...?
Wie oft...?
Was...? usw.

G 3b, 8, 12, 21, 38

28 RADIO UND FERNSEHEN

Was gibt's im Fernsehen?

A German boy and his English guest are deciding what to watch on television. Listen to their conversation and find out:

a Which of the three programmes they decide to watch, and why?
b Why they decide against the others?

1.Programm	2.Programm	3.Programm
20.15 Condorman	20.00 Der große Preis	20.00 Wanderungen durch Deutschland
Amerikanischer Spielfilm (1980) Woody Wilkens .... Michael Crawford Sergei Krokov .... Oliver Reed Natalia .... Barbara Carrera Harry .... James Hampton Morovitch .... Jean-Pierre Kalfon Regie: Charles Jarrott	Ein heiteres Spiel für gescheite Leute mit Wim Thoelke in Verbindung mit der Deutschen Behindertenhilfe Aktion Sorgenkind Gäste: Euro Cats, Engelbert Humperdinck, Peter Alexander, G. G. Anderson	Achtteilige Sendereihe 2. Teil: Der Oderbruch Film von Helga Märtesheimer

It will be useful to know the following types of radio and TV programme:

Was für eine Sendung ist das?
die Nachrichten (pl)/die Tagesschau/Rundschau/der Krimi (-s)/ die Quizsendung (-en)/der Dokumentarfilm (-e)/die Sportreportage (-n)/ die Musiksendung/die Jugendsendung/der Trickfilm (-e)/die Serie (-n)/ der Spielfilm/die Varietésendung/die Unterhaltungssendung/ die Talkshow (-s)/das Hörspiel (-e)

ein Film eine Sendung	über Sport/Religion/Politik/die Natur/ die Umwelt/andere Länder

Was hältst du davon?

Talk about your likes and dislikes in television and radio programmes:

... interessieren mich nicht
... finde ich langweilig, usw.
... mag ich nicht
... kann ich nicht leiden
... sind nichts für mich
... gefallen mir nicht

... interessieren mich sehr
... finde ich interessant, usw.
... mag ich sehr
... sehe ich gern
... höre ich gern
... gefallen mir gut

Was ich gern und nicht gern sehe ...

Listen to these four people talking about types of programmes they like and dislike. Copy out the grid and give the information asked for:

Er/Sie mag...	Er/Sie mag nicht ...
1	

Als ich in Großbritannien war ...

Listen to these four Germans speaking about television programmes they saw in Great Britain. In each case, jot down what programme they are talking about, and what comments they make about it.

Bei uns heißt das ...

Do we have (or have we had) the same, or similar programmes in the United Kingdom?
Gibt/Gab es dieselbe oder eine ähnliche, Sendung in Großbritannien?
Wie heißt (hieß) das bei uns?
Wann wird (wurde) das gesendet?

Provide yourself with an evening's viewing from the *TV Times* and *Radio Times*. With a partner, prepare a conversation between **A** a British host **B** a German guest, in which they discuss what they are going to watch that evening:

A asks if **B** would like to watch television this evening.
B asks what's on (*Was gibt's im Fernsehen?*).
A suggests some programmes and says what time they're on (*Um ... gibt's ...*).
B asks what sort of programme it is. (*Was für eine Sendung ist das?*).
A answers.
B says whether he/she wants to see it and why (not).

Hast du Sinn für Humor?

Erkläre, was hier passiert!

Jetzt bist du dran!

Answer the following letter extract:

20.15 Aktenzeichen: XY ... ungelöst
Die Kriminalpolizei bittet um Mithilfe Eduard Zimmermann berichtet über ungeklärte Kriminalfälle. Regie: Kurt Grimm

21.45 Das Internationale TV-Kochbuch
Australien (5) (Wh.)

22.00 Leute
Die Berliner Talkshow Eingeladen u. a.: Peter Glotz, Bundesgeschäftsführer der SPD; Heidi Brühl, Schauspielerin, Sängerin und Schallplatten-Produzentin; Heide Riedel, Autorin der deutschen Dallas-Texte; Hannes Heindl, Vorsitzender des König-Ludwig-Vereins in Bayern

22.05 Pappi Popeye
Zeichentrickfilm

18.00 Sesamstraße
Vorschulreihe

21.45 Magnum
Amerikan. Krimiserie Eine mehr als unglückliche Ehe (Wh.)

21.15 Smiley's Leute (1)
Agent in eigener Sache Dreiteiliger Fernsehfilm von John le Carré und John Hopkins Mit Alec Guinness, Curd Jürgens, Eileen Atkins, Dudley Sutton, Patrick Stewart u. a. Regie: Simon Langton

„... wir weisen nochmal darauf hin, daß der Film für Jugendliche nicht geeignet ist ...!"

jeden Abend. Hörst Du gern Radio? Was für Sendungen hörst Du gern. Welche deutschen Gruppen, Sängerinnen und Sänger hört man bei Euch im Radio? Wie oft siehst Du fern? Wie heißen Deine Lieblingssendungen und was für Sendungen sind das? Welche deutschen Filme oder Serien hast Du in der letzten Zeit gesehen? Was hieltst Du davon?

 G 12, 29, 65

Kommst du mit?

Dschungel-Großdiskothek
BAMBU
Neustadt, Sierksdorfer Straße 1–3, ☎ 0 45 61 / 35 64
Täglich ab 20.30 Uhr geöffnet
Jeden Dienstag Lady-Night
mit Super-Bingo und tollen Preisen
Heute, Fr., d. 30. 10., u. Sa., d. 31. 10.
Große Discoparty
auf zwei Tanzflächen

EIS·TREFF ESCHWEILER
RESTAURANT/PISTENBAR
SPORT-SHOP
Tel. 02403/34622
Eislaufen, da wo's Spaß macht
für Schulen, Vereine und für jedermann.
Tägl. ab 8.30 Uhr
Mi., Do. und Fr.
Disco on Ice
montags von 15-19 Uhr
Kindernachmittag
Spiele auf dem Eis
Eintritt für Jugendliche nur DM 3,-

S
Mo 20 *Konzert 20:00*
Di 21
Mi 22

Hallo, Inge! Kommst du heute abend mit in die Diskothek?

Hast du Lust, mal eislaufen zu gehen?

Das ist ja alles Quatsch! Kannst du sagen, was wirklich stimmt?

a Inge hat heute abend Zeit.
b Sie spielt morgen abend in einem Konzert.
c Sie geht mit Gaby in die Diskothek.
d Gaby holt sie um sieben Uhr ab.
e Sie geht zu Fuß zur Eishalle.

The following expressions will be useful for making, and answering invitations:

Möchtest du.... (+ *infinitive*)?		Ja, gern(e).	
Hast Hättest	du Lust ... zu (+ *infinitive*)?	Es tut mir leid,	ich kann nicht. das geht nicht.
Kommst du mit	zum/zur/zum ...? in den/in die/ins ...?	Nein, ich würde lieber ... (+ *infinitive*).	

Was sagen sie?

Work out what these people are saying:

fernsehen
ins Kino gehen
auf eine Party gehen
schwimmen gehen
zu Hause bleiben
ins Schwimmbad gehen

Nein...,

Es tut mir leid!

Listen to these six dialogues. In each case someone is inviting a friend to do something, and the friend is explaining why he/she can't do it. Look at the illustrations and match up the invitations with the 'excuses':

Wann treffen wir uns ... und wo?

Listen to these four dialogues. In each case a time and a meeting place is mentioned. Copy out the grid, and give the information asked for:

Wann und wo?

What do you think these people are saying about a time and place to meet?

With a partner, construct two dialogues on the following lines:

a A invites **B** to do something.
  B asks when.
  A answers.
  B accepts invitation and asks where they'll meet.
  A suggests a place.
  B says he/she doesn't know it.
  A suggests another.
  B agrees.

b A invites **B** to do something.
  B asks when.
  A answers.
  B says he/she can't and gives reason why not.
  A suggests another time.
  B accepts and asks where they'll meet.

Jetzt bist du dran!

Write a note in which you invite a German friend to go somewhere with you. Base it on the note below:

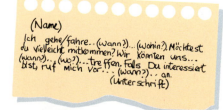

G 8, 12, 19, 21

Kommst du mit ins Kino?

Markus ruft seinen Freund Jürgen an, um ihn ins Kino einzuladen. . . . .

1 a Wann will Markus ins Kino gehen?
  b Wie heißt das Kino?
  c Wie viele Säle hat es?
  d Darf man in diesem Kino rauchen?
  e Welchen Film will Jürgen sehen?
  f Warum will er die zwei anderen Filme nicht sehen?
  g Wann beginnen die Vorstellungen?
  h Welche Vorstellung wählen sie?

2 a Was für Karten kaufen sie?
  b Was kosten die Eintrittskarten?

The following expressions will be useful for getting, or booking, tickets in a cinema or theatre:

Einmal/Zweimal, usw.	Parkett Rang/Balkon	bitte.	
Ich möchte gern	eine Karte zwei Karten	für "…"	für die sechs Uhr Vorstellung am zehnten August, usw.

The following words will help you talk about the types of films you like/dislike:

die Komödie (-n)/der Krimi (-s)/der Spionagefilm (-e)/der Liebesfilm/
der Kriegsfilm/der Science-Fiction-Film/das Musical (-s)/
der Wildwestfilm/der Gruselfilm/Horrorfilm/der Thriller (-s)/
der Abenteuerfilm/der Trickfilm/der Phantasiefilm

Sag mal!

Was für Filme magst du?
Welche magst du nicht so sehr?
Was für Filme kannst du nicht leiden?

Was passiert?

Listen to these four dialogues, all of which are to do with the cinema, or theatre. In each case, jot down the gist of what is happening, and what is being asked and said.

Was läuft?

a Was für Filme sind das?
b Kennst du sie?
c Weißt du, wie sie auf Englisch heißen?
d Wie viele davon hast du schon gesehen?
e Wie fandst du sie?
f Möchtest du die anderen sehen? Warum (nicht)?

Provide yourself with the cinema programme from your local newspaper. With a partner, prepare a conversation between **A** a British host and **B** a German guest, in which they discuss going to the cinema:
A asks if **B** wants to go to the cinema.
B asks what's on.
A answers, explaining what kind of films they are.
A and **B** decide on a film.

Was bedeutet das?

Here are some signs and notices you might see in a cinema. What do they mean?

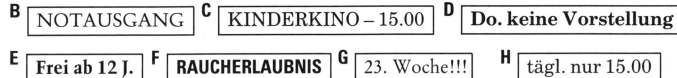

A RAUCHEN VERBOTEN

B NOTAUSGANG

C KINDERKINO – 15.00

D Do. keine Vorstellung

E Frei ab 12 J.

F RAUCHERLAUBNIS

G 23. Woche!!!

H tägl. nur 15.00

I Tägl. 20.00
Sonntag auch 15.00 und 17.30 Uhr

J Nur für
Erwachsene

Jetzt bist du dran!

Answer this letter extract:

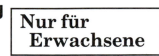

an Samstagabend. Wie oft gehst Du ins Kino? Hast Du einen Lieblingsschauspieler oder eine Lieblingsschauspielerin? Ich selbst mag Robert Redford und Jane Fonda. Was war der letzte Film, den Du gesehen hast? Was für ein Film war das, und wie fandest Du ihn?

G 13, 14, 15, 61, 62, 65

Herbert Becker aus Titmaringhausen

Listen to these interviews with two people from Titmaringhausen and answer the questions below:

a 1 How long has Herr Becker lived in Titmaringhausen?
  2 How old is he?
  3 What details does he give about the village?
  4 Who are Apollonia and Loni?
  5 How many sons and/or daughters has he got?
  6 Apart from his job with the *Bundespost* what other two jobs does he do?
  7 What details does he give about his 'post office'?
  8 What do his sons and/or daughters do for a living?

b 1 How old is Frau Sebert?
  2 How long has she known Herr Becker?
  3 What sort of man does she say he is?
  4 What 'extras' does he do while working as a postman?
  5 What does she say about the village 'post office'?
  6 What would probably happen if it closed?

Hallo Video-Freunde!

Vorigen Dienstag fand in der Kronsforderallee in Lübeck die Neueröffnung eines Video-Supermarkts statt. Die einen freuen sich darüber, die anderen sind weniger begeistert. Hört zu, was sechs Lübecker dazu zu sagen haben. Schreibt dann auf (entweder auf Englisch oder auf Deutsch), was jeder dazu meint:

1

2

3

4

5

6

82

Wer ist denn das?

a Das sind Persönlichkeiten, die wir oft im Fernsehen oder auf der Leinwand sehen. Kannst du sie erkennen?

b Sucht aus Zeitungen und Illustrierten Prominente (wie Popstars, Politiker(innen), Sportler(innen), Fernsehpersönlichkeiten, usw.) heraus. Übermalt sie dann, indem ihr ihnen andere Frisuren, Bärte, Schnurrbärte und Brillen gebt. Laßt dann eure Freunde raten, wer sie sind.

> Ist das nicht der/die… ?
> Das ist doch der/die …
> Schau mal, die Augen.
> Gehören die nicht zu … ?

> Ja, genau!
> Stimmt!

> Nein, stimmt nicht!
> Nein, niemals!

> Vielleicht!
> Könnte sein!

Was meinst du?

Diese Deutschen sprechen über Großbritannien und über das, was sie dort erlebt haben. Wie reagierst du auf das, was sie sagen? Findest du, daß es stimmt oder nicht stimmt? Und warum?

> Das britische Fernsehen ist nicht sehr gut.
>
> **1**

> Die Engländer sind die letzten Snobs!
>
> **2**

> Autofahrer in Großbritannien sind sehr höflich.
>
> **3**

> Das Essen in England ist sehr schlecht.
>
> **4**

> Das Wetter in Großbritannien ist schrecklich!
>
> **5**

> Die Popmusiksendungen in Großbritannien sind wirklich Spitze!
>
> **6**

> Die britische Jugend hat keine Disziplin.
>
> **7**

> Ich finde die Engländer nett, freundlich und hilfsbereit.
>
> **8**

> Die englischen Fernsehsendungen für Kinder sind gar nicht gut.
>
> **9**

> Britische Schülerinnen und Schüler arbeiten zu wenig … Sie bekommen zu wenig Hausaufgaben auf.
>
> **10**

Umfrage: Gehst du aus? ... Bleibst du zu Hause?

Trage diese Tabelle in dein Heft ein. Frage
deine Klassenkameradinnen und
-kameraden, wie oft sie was machen, und
trage für jeden eine Reihe von Nummern
ein:

Zeichenerklärung
5 Das mache ich sehr oft
4 Das mache ich oft
3 Das mache ich ab and zu
2 Das mache ich selten
1 Das mache ich nie

Name	Tanzen gehen (Discos, Partys usw.)	Sich in der Stadt (im Ort) herumtreiben	Lesen oder Hausaufgaben machen	Ins Schwimmbad gehen	Ins Kino gehen	Fernsehen	Zu Hause faulenzen	?
Peter Jones								
Emma Smith								

Füge selbst eine andere Aktivität hinzu!

Addiere die Punkte für jede Aktivität und finde den
Durchschnitt. Was macht ihr am liebsten? Was ist nicht
so beliebt? Kannst du die Ergebnisse der Umfrage
erklären?

Termine

Übertrage diese Tagebuchseite in dein Heft. Trage dann
ungefähr acht Termine in das Tagebuch ein (Beispiele
rechts unten). Rufe deinen Partner/deine Partnerin an
und versuche, einen freien Termin zu finden, an dem ihr
euch treffen könnt:

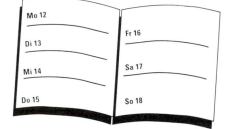

Mo 12	Fr 16
Di 13	Sa 17
Mi 14	So 18
Do 15	

– Hallo, X. Hier ist Y.
– Hallo, Y. Warum rufst du an?
– Ich dachte, wir könnten uns nächste Woche mal
treffen.
– Das wär' nett. Wann? ...

Party 20⁰⁰
bei Andreas

Gitarrenstunde 13⁰⁰

Nachmittags Ein-
kaufen mit Ute

Zahnarzt 10³⁰

Ausflug nach
Bonn 9⁰⁰ - 18⁰⁰

Wettervorhersage

Lies diese Wettervorhersage genau durch und ergänze
den Text mit den richtigen Wörtern (siehe unten):

> am wärmsten/gefährlich/regnen/
> bedeckt/neblig/kalt/Glatteis/
> regnerisch/kälter/besser/Grad/
> wärmer

Morgen in der BRD wird es sehr ___ sein, aber es wird
nicht ___. Für Autofahrer wird es ___ sein, denn am
Vormittag wird es ___ sein, und es wird ___ auf den
Straßen geben.
Vor einem Jahr war es in Hamburg ___ als dieses Jahr.
Morgen wird das Wetter in Dänemark ___ sein als in
Spanien, denn in Spanien wird der Himmel ___ und das
Wetter ___ sein. In Berlin werden die Temperaturen um
Null ___ sein. In London dagegen wird es ein bißchen
___ sein. In Las Palmas wird es ___ sein.

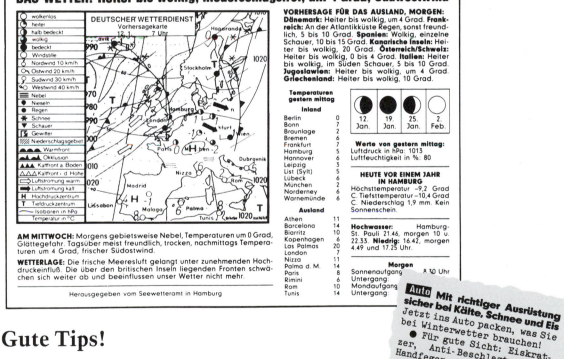

Gute Tips!

Here is some good advice for motorists:
For what particular conditions?
How many of the tips can you understand?

31 *WIR FEIERN!*

Geburtsdatum ... Geburtsort

Ich heiße Uschi Grüne. Ich bin am ersten Mai 1974 in der Schweiz geboren, und zwar in Zürich.

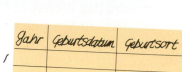

Ich heiße Richard Bachmann. Ich habe am zwölften Dezember Geburtstag. Ich bin 1973 in Österreich geboren ... in Wien, der Hauptstadt von Österreich.

Und diese Leute?

 Listen to these four people giving details of their date and place of birth. Copy out the grid and give the information asked for:

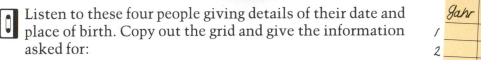

Jahr	Geburtsdatum	Geburtsort
1		
2		

The following expressions will be useful for talking about your date and place of birth:

> Ich habe am ... (s)ten (+ *month*) Geburtstag.
>
> Ich bin am ... (s)ten (+ *month*) (+ *year*) in (+ *place*) geboren.

Note how greetings are often written 'back to front' in German:

Alles Gute fürs Neue Jahr wünschen Euch Renate und Rolf

Alles Gute zum Geburtstag wünscht Dir Familie Schmidt

Herzliche Weihnachtsgrüße sendet Euch Euer Peter

Grüße und Glückwünsche

How many different greetings can you make up from the expressions below? (You'll need to add the name(s), of the senders in each case):

für das kommende Jahr   **Euch**   **wünschen**   **von Deinem Freund**

von deiner Freundin   **zum Geburtstag**   **fröhliche Weihnachten**

Herzliche Glückwünsche   **ein frohes Weihnachtsfest**   **Alles Gute**

Ein glückliches neues Jahr   **Dir**   **wünscht**   **frohe Ostern**   **und sendet**

Herzlichen Glückwunsch   **Herzliche Weihnachtsgrüße**   **senden**

Geburtstags- und Weihnachtsgeschenke

Was sagt dieses Mädchen über ihre Geschenke?

Mein(e) … | hat / haben | mir ein(e)(n) … gegeben

Von | meinem … / meiner … / meinen … (plural) | habe ich ein(e)(n) … | bekommen. … / gekriegt.

Was bedeutet das?

a What special occasions do these adverts and inscriptions represent?

Kristin
28. August

Wir freuen uns
Melanie
hat eine Schwester bekommen.

**Rolf und
Sabine Timm**, geb. Gumpert

2406 Stockelsdorf, Hermannstraße 11 f

Ich liebe Dich,
mein Teddybär.

Mein großer Bruder wird 30!
Hallo, Björni!
Zu Deinem Geburtstag am
31. August
herzliche Glückwünsche
von Deinem Schwesterlein
Daggi

Über die Glückwünsche, Blumen und Geschenke
zur Geburt unserer Tochter
Jenny
haben wir uns sehr gefreut. Wir sagen allen unseren
herzlichen Dank.
Rolf und Anne
Zweifall, im September .

Süße 18
Liebe Pelle, herzlichst
**Papi, Mami
und Betsy**

b What is this newspaper item about? ▶

**Weihnachtsgrüße
aus England**

CELLE (ipc). – Ein Telegramm aus Tavistock/England erreichte in diesen Tagen die Stadt Celle. Hierin wünschten der Bürgermeister und die Mitglieder von Rat und Verwaltung der britischen Partnerstadt allen Celler Bürgern und Freunden ein frohes Weihnachtsfest und alles Gute für das kommende Jahr.

Play the parts of two people who have just met, and ask each other these questions:
Wie alt bist du?/Wann bist du geboren? (Und du?)
Wann hast du Geburtstag?
Wo bist du geboren?
Was für Geschenke hast du zu deinem letzten Geburtstag bekommen?
Was möchtest du zum nächsten Geburtstag kriegen?

Jetzt bist du dran!

Answer the following
letter extract from your
German penfriend:

Wir sind sehr froh, daß wir dieses Jahr Weihnachten bei Euch feiern. Wir haben schon ein sehr schönes Geschenk für Dich gefunden. Könntest Du aber Geschenke für den Rest Deiner Familie vorschlagen?

87

 3b, 14, 15, 59, 61

32 WIE WAR'S?

⏻ So ein Glück ... So ein Pech!!

> Hamburg, den 12. Juli
>
> Lieber John,
>
> wir sind gerade von Griechenland zurückge-
> kehrt. Der Urlaub war einfach wunderbar!
> Das Wetter war die ganze Zeit herrlich. Das
> Hotel war sehr bequem, mit schönen, großen
> Zimmern. Die Strände waren sauber mit
> goldenem Sand, und am Strand waren sehr
> wenige Leute. Natürlich war das Wasser
> schön warm. Das Essen hat uns prima
> geschmeckt und war unglaublich billig.
> Ich hoffe, Euer Urlaub in Bognor hat Euch
> gefallen. Erzähl mir bald davon! Bitte!
>
> Dein Rainer.

> Liebe Jane,   Lübeck, den 13. Juli
>
> wir haben 14 Tage in Frankreich verbracht und sind
> erst seit kurzem wieder zu Hause. Wir sind froh,
> wieder hier zu sein, denn der Urlaub hat uns gar
> nicht gefallen. Das Wetter war kalt und naß. Der
> Campingplatz war sehr schmutzig und total über-
> füllt. Mensch, wir waren wie die Sardinen da! Unsere
> Nachbarn waren sehr laut. Der Laden hatte eine
> sehr schlechte Auswahl an Lebensmitteln, und
> es kam gar nicht in Frage, in Restaurants zu
> essen! Die Preise waren einfach zu hoch! Wie
> war Euer Urlaub in Schottland?
> Mit freundlichen Grüßen, Deine Gerda

a Where have these two people been for their holidays?
b Who had the better time?
c List the things which made, or spoilt, the two stays.

🦉 Here are some expressions which will be useful for talking about places you have been to, and what you thought of them:

Gestern/Vorgestern Vorigen Dienstag/letzte Woche Am Wochenende/Voriges Jahr, usw.		war ich ... (*wo?*) ...	
		bin ich ... (*wohin?*) ...	gegangen. gefahren.
Das hat mir	(gar) nicht (sehr) gut	gefallen.	
Das war	gut/interessant/langweilig, usw.		
Ich habe es		gefunden.	
Es ging/Es war nichts besonderes.			

Hat's dir gefallen?

⏻ Listen to these four people talking about places they have been to/things they have done, when, what they thought of them, and why. Copy out the grid, and give the information asked for:

	Wo war er/sie?	Wann?	Wie war's?	Warum?
1				
2				

Worüber sprechen sie?

Here are some people making comments about things they have done. In each case, suggest what they might be talking about. There are several possibilities for each:

… hat/haben mir gar nicht gefallen.

… war(en) einfach toll!

… war(en) wirklich schrecklich!

… war(en) unheimlich teuer.

… war(en) sehr bequem.

… war(en) zu laut.

… hat/haben prima geschmeckt!

… war(en) sehr schmutzig.

… war(en) furchtbar kalt!

… war(en) ziemlich überfüllt.

… war(en) schön ruhig.

… war(en) recht nett.

With a partner, prepare a series of dialogues in which:
A asks where **B** was yesterday evening.
B answers.
A asks what it was like.
B answers.
A asks why.
B answers.

Zum Lachen!

Kannst du diese Situation erklären?

„Nein, wir waren nirgends – nur zwei Wochen in unserem Garten. Und wie war das Wetter in Spanien??!"

Jetzt bist du dran!

a Write a letter extract to a German pen-friend in which you tell him/her about three things you did over the last weekend, what you thought of them, and why. Use the following as a guide:

> Am Freitagabend war ich…(wo?)… Das war…(wie?)… denn…(warum?)…
> Am Samstag bin ich…(wohin?)…gegangen. Das habe ich…(wie?)… gefunden, denn…(warum?)…
> Am Sonntag bin ich mit…(wem?)…(wohin?)…gegangen. Wir haben das…(wie?) gefunden, denn…(warum?)…

b Write a letter in answer to either Rainer's or Gerda's letter on the opposite page.

G 12, 13, 14, 15, 46

33 ICH MÖCHTE RESERVIEREN

Muß man buchen? ... Kann man buchen?

Hört diesen Dialogen zu und wählt die richtigen Alternativen:

1 Die Frau **muß/muß nicht** im voraus buchen.
  Sie **kann/kann keine** Plätze bekommen.
  Es gibt **ein/mehr als ein** Schiff.
  Es fahren **oft/selten** Schiffe.
  Man **muß/muß nicht** lange auf ein Schiff warten.

2 Die Familie **kann/kann nicht** nach Aarberg fahren.
  Die Stadtrundfahrt dauert **den ganzen Tag/einen halben Tag**.
  Sie sind **3/4/5** Personen in der Familie.
  Das älteste Kind ist **4/6/10** Jahre alt.
  Insgesamt müssen sie sFr **40/50/60** zahlen.

Bern à la carte

Stadtrundfahrt (¹/₂ Tag): Erleben Sie das historische und das neue Bern in einem bequemen Bus mit sprachkundigem Führer.
sFr. 15.–

Aarberg (¹/₂ Tag): Fahrt mit dem Postauto nach dem mittelalterliche Aarberg mit berühmtem Marktplatz und 400 Jahre alter Holzbrücke.
sFr. 12.40

The following expressions will be useful for booking/reserving things:

Ich möchte	einen Platz zwei Plätze	für	die Fahrt/den Ausflug nach ... den 2. Oktober heute abend, usw.	reservieren. buchen.
	Plätze für	eine(n) Erwachsene(n) und ein Kind zwei Erwachsene und zwei Kinder		
	einen Tisch für zwei für acht Uhr reservieren			
	ein Taxi für zehn Uhr, usw. bestellen.			

Kann ich Ihnen helfen?

Listen to these four people reserving, booking or ordering things. Copy out the grid and give the information asked for:

was wird gebucht, reserviert usw.?	Für wann?	Weitere Einzelheiten.
1		
2		
3		
4		

Was wollen sie?

These people are making phone calls about the items they have ringed in information leaflets or the *Gelben Seiten*. Imagine what they might be saying. Invent details such as times, numbers of people involved, etc.

With your partner, prepare a telephone conversation between **A** a British tourist and **B** an *Informationsbüro* official. **B** should make a list of the day's *Alster-Rundfahrt* 'sailings', and cross some out as being fully-booked (*ausverkauft*). The dialogue should proceed as follows:

A asks for details of sailing times.
B answers.
A asks for details of prices.
B answers.
A suggests a time.
B says whether it's possible.
After a time has been established,
B asks for details of the party.
A gives details.
B asks for their name, and says they can pick up tickets from the *Informationsbüro*.

Jetzt bist du dran!

Imagine that your family is going to stay in Hamburg. You have been told that *St. Pauli* is a good area to stay in, and two hotels (*Astoria* and *Adria-Hof*) have been recommended. Complete the booking form with the relevant details. When you have completed it, jot down in English, for your parents, details of what you have booked:

A
Hotel-Restaurant
Bismarck
Bismarckstr 47   50 80 80
Hülsmann Lagerhaus-5   50 55 98
Karlshotel Leydel-10
Kistermann Bahnhofpl.8   3 60 64
                             3 54 49
                             3 23 89

B
Konrad K. Gisela-9.
Lender K. Karolinger-22.   6 68 42
                               15 52 47
LAST-TAXI Engels   ✆ 50 77 05
Maus E. Müsellerweg 75
Ostlender J. Beethovenstr 11. 55 21 86
Otto H. Zehnthofweg 21   3 54 57
                               55 14 41

C
Autoverleih Rick
Inh. Reiner Keller PKW LKW   68 06 ✆ 6 10 06
Aachener Str. 4
Autoverleih - Weber   2 10 58
LKW-Möbelwagen-Umzüge   2 10 58
Broicherstr 149a   2 10 59
Weber H.
RechtsschutzAgt. Broicher-149a

D
Stadtrundfahrten
Ab Hauptbahnhof/Kirchenallee
(gegenüber Hotel Europäischer Hof)
Ⓢ Hauptbahnhof   [N 12]
Kleine Stadtrundfahrt
Im Oktober täglich 11 und 15 Uhr,
ab November täglich ab 14 Uhr.
Dauer ca. 2 Stunden. Fahrtroute:
Rund um die Außenalster, Foto-
Stop Uhlenhorster Fährhaus, am
Rathaus vorbei durch die Ein-
kaufsstraßen und Kontorviertel
der Innenstadt, zur St. Michaelis-

Alster-Schiffahrt
Noch bis Ende Oktober regelmä-
ßige Alster-Rundfahrten, Fleet-,
Kanal-, Kreuz- und Vierlande-
Fahrten ab Anleger Jungfernstieg.
Die Alster-Rundfahrt (tägl.
10.00–18.00 Uhr halbstündl.)
dauert ca. 50 Minuten.
Information und Kartenvorver-
kauf unter Tel. 34 11 45.   [L 12]

Hotel-Reservierung   Bitte buchen Sie für

_____ Erwachsene und _____ Kinder (bis 12 J.)

vom _____ bis _____ (_____ Nächte)

_____ Einzelzimmer   mit/o. Bad/Du./WC

_____ Doppelzimmer   mit/o. Bad/Du./WC

_____ Dreibettzimmer   mit/o. Bad/Du./WC

Möglichst Hotel/Hotel-Pension _____ oder _____

im Stadtteil
Die Anmeldung ist verbindlich und unterliegt den aufgeführten Reisebedingungen.

_____   _____
Datum   Unterschrift

G 3b, 8, 59, 65

34 AM TELEFON

Anruf nach England

Andrew ist Schotte, Emma ist Engländerin. Sie verbringen zwei Wochen in Deutschland bei ihren Austauschpartnern. Sie wollen ihre Eltern anrufen. Andrew macht es vom Haus seines Austauschpartners aus ...

Emma beschließt, ihre Eltern von der Post aus anzurufen ...

1 a Whom do the two people want to phone?
  b What does Andrew already know?
  c What doesn't he know?
  d What information is he given?

2 a What explanation of *ein R-Gespräch* is Emma given?
  b When she finds out, what does she reply?
  c What information does she give the counter clerk?
  d What does he tell her to do?

The following expressions will be useful for making phone calls:

Was ist deine/Ihre Telefonnummer?	Meine Telefonnummer ist ....
Ich hätte gern die Nummer von ...	
Kann ich bitte Herrn .../Frau .../den Peter/die Gaby, usw. sprechen?	
... am Apparat.	Auf Wiederhören!
Ich möchte ein Ferngespräch/R-Gespräch anmelden.	

In einer Telefonzelle

Look at these instructions:

1 What kinds of call can be made from this phone box?
2 What three things can't you do?
3 Here is someone explaining how to use the telephone. The instructions are muddled up. Can you sort them out?

A Du wählst die Nummer.   **B** Du wirfst das Geld ein.

C Wenn das Gespräch zu Ende ist, hängst du den Hörer auf.

D Wenn Geld übrigbleibt, kannst du neu wählen.   **E** Du nimmst den Hörer ab.

F Du drückst einfach auf die grüne Taste.   **G** Du mußt mindestens 20Pf einwerfen.

H Dann sprichst du.   **I** Wenn das Geld alle ist, kannst du Münzen nachwerfen.

Fernsprechauskunft

Listen to directory enquiries giving three numbers with their codes. Copy out this grid and jot down the numbers:

Vorwahl.	Rufnummer.
1	
2	
3	

Verstehst du das?

Listen to these four short dialogues. They are all to do with using the telephone. In each case, jot down the gist of what is happening, what is being asked, etc.

Prepare a dialogue with a partner on the following lines:
A asks to speak to a certain person.
B says he/she isn't there, and offers to take a message.

A gives message.
B repeats message to check it, and says he'll/she'll pass it on.

Was bedeutet das?

a What information are you being given here?

Töne im Inlandsverkehr						Bedeutung
t ü ü ü ü ü ü						**Wählton:** Der Apparat ist betriebsbereit. Bitte wählen.
tüüt					tüüt	**Freiton:** Der erreichte Anschluß ist frei und wird gerufen.
tüt	tüt	tüt	tüt	tüt	tüt	**Besetztton:** Der erreichte Anschluß oder die Leitungswege sind besetzt.

b 1 What is AVON and where are you likely to find it?
  2 What are the numbers 118, 0118 and 00118 for?

Jetzt bist du dran!

Imagine you are staying in Germany with two friends, Mike and Tracy. Listen to these three phone calls, and note down in English the messages you are supposed to pass on to them:

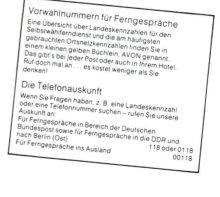

Vorwahlnummern für Ferngespräche

Eine Übersicht über Landeskennzahlen für den Selbstwählferndienst und die am häufigsten gebrauchten Ortsnetzkennzahlen finden Sie in einem kleinen gelben Büchlein, AVON genannt. Das gibt's bei jeder Post oder auch in Ihrem Hotel. Ruf doch mal an . . . es kostet weniger als Sie denken!

Die Telefonauskunft

Wenn Sie Fragen haben, z. B. eine Landeskennzahl oder eine Telefonnummer suchen – rufen Sie unsere Auskunft an:
Für Ferngespräche im Bereich der Deutschen Bundespost sowie für Ferngespräche in die DDR und nach Berlin (Ost)   118 oder 0118
Für Ferngespräche ins Ausland   00118

> Kann ich etwas ausrichten?

G 8, 10, 21, 31, 32, 51

Kannst du etwas ausrichten?

Hallo. Kann ich den Andreas sprechen?

Er ist momentan nicht da.

Ach so! Hier ist der Martin. Kannst du ihm sagen, daß heute abend eine Party bei der Angelika ist. Sie beginnt um acht Uhr. Frag ihn, ob er mitkommen will. Falls er Lust dazu hat, soll er ein paar Schallplatten oder Kassetten mitbringen.

Der Martin hat angerufen. Er geht heute abend auf eine Party bei Angelika. Möchtest Du mit? Wenn ja, bring ein paar Platten oder Kassetten mit.

These expressions will be useful for passing on messages:

X hat angerufen.			
Du	mußt sollst	(*wann?*)	(*was machen?*)
Kannst du			...?
Möchtest du			
Du sollst ihn/sie	(*wann?*)	unter der Nummer ...	zurückrufen.

Was bedeutet das?

Imagine you came back to your exchange partner's house and found the following notes:

A *Die Polizei hat angerufen. Dein Paß ist gefunden worden. Du sollst ihn im Polizeirevier abholen.*
(Hubertusstraße 22)

B *Kannst Du heute abend auf dem Heimweg beim Bäcker vorbeigehen und frische Brötchen (10?) kaufen?*

C *Meine Eltern haben angerufen. Ich mußte zu ihnen. Mach Dir was! Du kannst alles essen, was im Kühlschrank ist.*

D *Der Fritz war da. Er hat Deine Kassetten zurückgebracht. Sie sind in der Schublade in Deinem Zimmer.*

E *Jochen und Petra haben angerufen. Du sollst sie so früh wie möglich zurückrufen. (62345)*

F *Die Karin will wissen, wann Ihr am Samstag losfahrt, und wann Ihr am Abend wieder da seid.*

a Work out what they mean.
b Construct the sort of conversation that might take place if you rang the people back, or the next time you met them.

Bis später!

Using this model, write a series of notes, in
which you say:
a where you had to go
b why
c when you'll be back.

Mußte . . . (wohin?) . . . ,
um . . . . . (was zu tun?).
Bin . . . (wann?) . . wieder da
Bis dann!
(Unterschrift). .

Was sagt sie?

Imagine that a German family is coming to visit you on
the 20th June. The mother phones to change the date and
to give you details of times, transport, etc. Make a note of
the main details for your parents.

Play the parts of **A** a British host and **B** a German guest.
Prepare a series of dialogues in which:
A says that a certain person phoned.
B asks what he/she wanted.
A relays the message.
B says how he'll/she'll deal with the matter.

Zum Lachen!

Kannst du erklären, was
hier passiert?

Jetzt bist du dran!

Listen to these four telephone calls with messages for
Germans who are staying in rooms near yours and then
leave short messages in German for the people
concerned:

Max   Susi   Harry   Astrid

36 KLEINANZEIGEN

Am Schwarzen Brett

 Michael möchte eine Wohnung mieten. Er sieht folgende Anzeigen am Schwarzen Brett. Er macht zwei Anrufe . . .

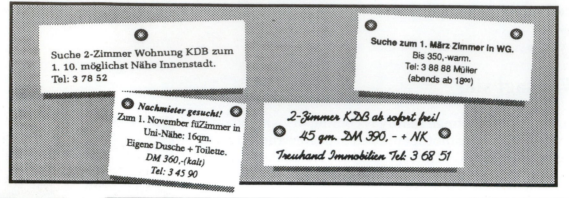

Suche 2-Zimmer Wohnung KDB zum 1. 10. möglichst Nähe Innenstadt. Tel: 3 78 52

Suche zum 1. März Zimmer in WG. Bis 350,-warm. Tel: 3 88 88 Müller (abends ab 18⁰⁰)

Nachmieter gesucht! Zum 1. November füZimmer in Uni-Nähe: 16qm. Eigene Dusche + Toilette. DM 360,-(kalt) Tel: 3 45 90

2-Zimmer KDB ab sofort frei! 45 qm. DM 390, - + NK Treuhand Immobilien Tel: 3 68 51

Welche der vier Wohnungen bekommt er? Die Wohnung links oben? Die rechts oben? Die links unten? Die rechts unten?

The following phrases will be useful for wording adverts.

Suche . . .	bis –,– – DM für max. –,– –. DM	Tel . . . (abends, usw.) ab . . . Uhr.
Verkaufe . . . . . . für –,– – DM zu verkaufen.		

The following expressions will be useful for enquiring about advertised articles:

Sie haben ein(e)(n) . . . . in der Zeitung. Ist er/sie/es noch zu haben? Wie ist er/sie/es? Wie alt ist er/sie/es? Welche Farbe hat er/sie/es? Wieviel verlangen Sie dafür?

Suche . . . Verkaufe

Imagine that **a** you need to raise some money **b** you are looking for some items. Write out cards for the *Schwarze Brett*, giving any details you think important:

a You want to sell . . .
    . . . some records
    . . . a cassette recorder
    . . . a camera.

b You want to buy . . .
    . . . a bicycle
    . . . a moped
    . . . some articles of furniture.

Kann ich nähere Einzelheiten haben?

Listen to these three people phoning up about articles for sale/rent. Copy out the grid, and give the details asked for:

Artikel	Beschreibung	Preis
1		
2		
3		

Was bedeutet das?

Sort out the following adverts under their correct headings. Then jot down the main details of each of them in English:

STELLENGESUCHE

STELLENANGEBOTE

KAUFGESUCHE

VERKÄUFE

AUTOMARKT

MOTORRÄDER

WOHNUNGSGESUCHE

WOHNUNGSANGEBOTE

UNTERRICHT u. LEHRMITTEL

CARAVAN/WOHNWAGEN

KONTAKTE

REISEN

A **Stereoanlage m. Platten,** Kassetten und Radio, Kellerregal, Röhrenradio von 1958, Küchentisch, braun, Leiter, 2stufig, günstig abzugeben, 4700 Hamm 5, Imbuschstr. 3, untere Schelle.

B **Suche Reisepartner/in** für Süd-Ost-Asien. Bin 37,m, Start Herbst, Dauer offen. Tel. 08092/201 76

C **Honda MTX 80,** signalrot, Topzustand, VB 980.– DM. ☎ (0 29 41) 6 07 87.

D **2 Studenten suchen Wohnung** in Soest od. näherer Umgebung. ☎ (0 23 82) 20 05.

E ● **Farbfernseher Siemens.** 2 Jahre alt, portabel, 400,– DM. Tel. (0221) 71 14 40

F ● **Bürojob** ca. 10 Stunden pro Woche, nachmittags, für Schülerinnen geeignet. Tel. (0228) 62 62 84

G **Zu verkaufen!** Nagelneue elektr. Schreibmaschine, Brother AX-10, ☎ (0 29 21) 6 24 22.

H **Nebenjobs wie Sand am Meer.** Gratisinfo von U. Greiner, Mendelsohnstr. 52, in 6700 Ludwigshafen.

I ● **Mofa,** 650.– DM VB, mit Versicherung, ☎ (0 29 22) 24 72.

J **Imbißverkäuferin gesucht.** ☎ (0 23 81) 78 96 77.

K ● **VW Käfer 1302 S,** Snoopy Liebhaberfahrzeug, Bj. 71. ATM 50.000 km, TÜV 1 Jahr (auf Wunsch 2 Jahre TÜV), optisch und technisch 1a, Cassettenradio–Stereo, VB 2.100.–. Tel. (02242) 35 20 ab 17 Uhr.

L Schülerin (18) sucht Job für die Sommerferien. Bevorzugt in einer Boutique oder ähnlichem. Eventuell auch Büro (Maschinenkenntnisse vorhanden) Meldungen nachmittags. Tel. 87 55 44 Claudia.

M **Suchen Wohnung,** ca. 60 m², zwischen Hamm und Werl f. ca. 10 Mon. ☎ (0 29 22) 16 42.

N Ehepaar mit 14j. Sohn sucht für sofort od. später **70-m²-Wohnung** im Werler Zentrum. ☎ (0 23 01) 50 11.

O **Erfahrener Lehrer erteilt Nachhilfe** in Deutsch und Englisch, Tel. CE 55387.

P **Suche ab Mitte Juni Wohnwagen** mit Vorzelt für 5 Personen ca. 3 Wochen zu mieten. Tel. 05143/8956.

● Wer gibt mir **Englischunterricht?** Am liebsten **Engländer oder Engländerin.** Bezahlung nach Vereinbarung. Tel. (0221) 23 88 16, Di-Do von 20.00–21.00 Uhr (nach Monika fragen).

a With a partner, prepare a dialogue in which someone is phoning up about a 'small ad':
A asks if the item is still available.
B says that it is.
A asks for further details, and price.
B answers.
A says it's too expensive.
B asks what A is prepared to pay.
A makes an offer. B. agrees.
A & B agree a time to view/collect.

b Using this advertisement as a guide, prepare a telephone conversation in which you play the parts of **A** a British student answering the advertisement and **B** the advertiser:
A should explain who he/she is.
A & B should negotiate a price and a time to meet.

 3b, 28

Happy Hamburg Pauschal

1 Imagine your family sends for information about a short stay in Hamburg and receives a brochure in which you find this special offer. Write out the gist of the information in English under the following headings:

a hotels
b when the offer is valid
c cost for children
d what 'extras' are offered
e booking
f what the various prices represent.

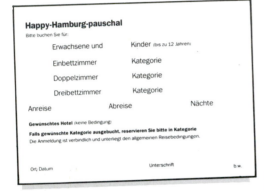

Happy-Hamburg-pauschal

Bitte buchen Sie für:

Erwachsene und	Kinder (bis zu 12 Jahren)
Einbettzimmer	Kategorie
Doppelzimmer	Kategorie
Dreibettzimmer	Kategorie

Anreise   Abreise   Nächte

Gewünschtes Hotel (keine Bedingung)

Falls gewünschte Kategorie ausgebucht, reservieren Sie bitte in Kategorie

Die Anmeldung ist verbindlich und unterliegt den allgemeinen Reisebedingungen.

Ort, Datum   Unterschrift   b. w.

2 a Complete the booking card for your own family (say you don't mind which actual hotel you are given).
b Prepare a telephone call in which you give the same information.

3 Imagine the following two families booked for this scheme. Work out how much each family would pay.

Happy Hamburg pauschal

Wohnen Sie in einem Hotel Ihrer Wahl und reisen Sie individuell an. Das Angebot »Happy Hamburg pauschal« bietet Ihnen besonders günstige Übernachtungspreise in mehr als 100 Hotels und Hotelpensionen der Standard- bis zur Luxusklasse. Als kleines Extra erhalten Sie bei Ihrer Ankunft ein **Happy-Hamburg-Ticket** mit Gut- und Ermäßigungsscheinen für Besichtigungen und Rundfahrten.

Nostalgie-Rundfahrt mit der Hummelbahn

Das Angebot ist gültig
jeweils von Freitag bis Montag (1, 2 oder 3 Nächte).

Erweiterte Gültigkeit
Vom 1. November 1986 bis 28. Februar 1987 und vom 1. Juli bis 15. August 1987 ist eine Buchung auch für **jeden anderen Wochentag ohne Zeitbegrenzung** möglich.

Im Preis eingeschlossen
Übernachtung/Frühstück und das **Happy-Hamburg-Ticket.**

Kinder von 4 bis 12 Jahren erhalten 50 Prozent Ermäßigung, wenn sie im Doppelzimmer der Eltern schlafen. Freier Aufenthalt für Kinder bis zu vier Jahren.

Sonderleistungen
Das zum Arrangement gehörende »Happy-Hamburg-Ticket« enthält Gutscheine für folgende Leistungen:

● Eintritt in zwei Museen
● eine Rathausführung
● Eintritt in die Spielbank Hamburg und andere

Ermäßigungen erhalten Sie bei weiteren Leistungen wie z. B.:
● Stadtrundfahrt
● Hafenrundfahrt
● Alsterfahrten
● Hagenbecks Tierpark
● Hummelbahn
und vieles mehr.

Buchungen
Über Ihr Reisebüro oder direkt bei der

Fremdenverkehrszentrale Hamburg e.V.
Tourist Information
Bieberhaus am Hauptbahnhof
2000 Hamburg 1

Telefon 040/2 48 70-243
Telex 2 163 036
BTX * 20166#

Die Hotels der einzelnen Kategorien finden Sie auf der letzten Seite.

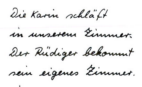

Die Tourist Information gibt Ihnen gerne Auskunft und Prospektmaterial über Hamburgs Sehenswürdigkeiten

Preise pro Person im Doppelzimmer:

Die Preise sind gültig vom 1. 11. 86–31. 10. 1987

Kategorie			Nächte			Verlängerungsnacht (siehe Gültigkeit)	Einbettzimmer Zuschlag je Nacht
			1	**2**	**3**		
Standard S		DM	40	78	116	38	9
Standard Sa		DM	49	96	143		
Komfort K	WC	DM	62	121	180	47	17
Komfort Ka	WC	DM	77	150	223	59	19
Luxus L	WC	DM	100	195	290	73	24
L – Hotels Atlantic und Vier Jahreszeiten		DM	123	241	359	95	45
						118	48

Handwritten notes (left family):
Wir bleiben fünf Nächte.
Die Kinder schlafen in unserem Zimmer.
Wir möchten ein Hotel in der K-Kategorie haben.

Handwritten notes (right family):
Die Karin schläft in unserem Zimmer. Der Rüdiger bekommt sein eigenes Zimmer.
Das muß ein Hotel der Luxus-L Kategorie sein.
Wir bleiben zwei Nächte.

Panorama-Park

1 This looks like it might be a good day's
outing. But would it offer something for
all the family?
Jot down any activities, features, etc.
which you think would appeal to:

a you

b young children

c parents.

2 Look at the illustrations below. They
represent outings at two activity parks
like the one opposite. Imagine you were
one of the people involved in each visit.
Talk/Write about the visits, what you
all did, and what you thought of the
places:

**Erleben Sie aktive Freizeit und Abenteuer
in frischer Bergluft – für jung und alt.**

Transmobilbahn auf den Eggen-
kopf – 2 Rutschbahnen ins Tal –
Wasserbobbahn mit Schußfahrt.
„Fichtenflitzer", die längste Roller-
bob-Bahn Deutschlands (1200 m).
Berg- und Talbahn „Rothaarblitz"
mit Hochgeschwindigkeit in den
5 Wendekehren – Bumperboats –
Fernlenkboote – Kindereisenbahn,
Kegelbahn im Freien – großer
Kinder-Abenteuerspielplatz – über-
dachter, elektronischer Spielpavil-
lon – Miniskooter – Schaubühne mit
interessanten Vorführungen. Weit-
läufige Wanderwege entlang den
Freigehegen mit Hirschen und
Bisons, Elchen und Sauen, mit
Muffelwild und wilden Bergziegen –
Wildfütterung.

Zwei gemütliche Restaurants mit
Wildgerichten, dazu Imbißstuben,
Grillhütten, eine Waffelbäckerei und
Würstchen am Stand.

STIFTUNG WARENTEST
test 7/84
gut
Im Test:
18 Freizeitparks
Testurteil:
7 gut/sehr gut, 4 gut
7 gut/befriedigend
Die Testergebnisse beruhen
auf den Urteilen der Besucher
(empirische Erhebung).

Unsere Anlagen
werden auch von
Senioren gerne
benutzt und berei-
ten Ihnen große
Freude.

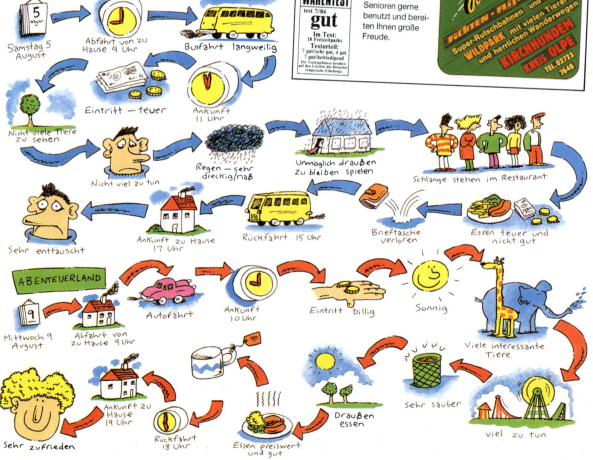

99

Ein Telefongespräch

Bilde aus folgenden Sätzen ein Telefongespräch:

> Auf Wiederhören!
>   Da bin ich nicht sicher.
> Peters ... Guten Tag!
>   Wissen Sie, wann sie heimkommt?
>   ... Wenn Sie nichts dagegen haben, natürlich!
> Kann ich etwas ausrichten?
>   Guten Tag, Frau Peters.
> ... Es ist 83 38 83.
>   Könnte sie mich gegen fünf Uhr zurückrufen?
> Danke ... Auf Wiederhören!
>   Sie ist im Moment nicht da.
> OK ... Ich habe sie notiert.
>   Ich habe bestimmt nichts dagegen!
> Bitte sagen Sie ihr, es gibt heute abend in
>   die Stadthalle eine Disco.
> Kann ich bitte die Ingrid sprechen?
>   Gegen zwei Uhr wahrscheinlich
> Hier ist der Rolf.
>   Ich möchte sie einladen.
> Hat sie deine Nummer?

Alles Gute zum Geburtstag!

Diese Bilder sehen sich sehr ähnlich. Völlig identisch sind sie doch nicht! Kannst du zehn Unterschiede finden?

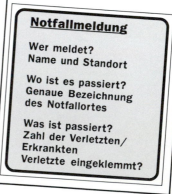

Notfallmeldung

Give the gist in English of this very important notice:

● *Notfallmeldung*

Vielleicht werden auch Sie einmal Zeuge eines Autounfalls, eines Brandes oder anderer Notfälle. Oft kommt es dann auf Minuten und Sekunden an, um Verletzten zu helfen und Menschenleben zu retten. Dann ist es wichtig, den Rettungsdienst über Telefon schnell, knapp und präzise zu informieren. Die abgebildete Anleitung für eine Notfallmeldung soll Ihnen dabei helfen. Sie ist auch in den Telefonhäuschen angebracht.

Notfallmeldung

Wer meldet?
Name und Standort

Wo ist es passiert?
Genaue Bezeichnung des Notfallortes

Was ist passiert?
Zahl der Verletzten/ Erkrankten
Verletzte eingeklemmt?

Wie feiert ihr?

a Write a short article for a German school magazine about how Christmas is typically celebrated in Great Britain, using the following illustrations and notes as a guide:

1
– einkaufen gehen

2
– das Haus
  schmücken

3
– den Baum
  schmücken

4
– die Geschenke
  ins Kinderzimmer
  bringen/legen

5
– aufstehen
– die Geschenke
  aufmachen

6
– Besuch
  bekommen

7
– zu Mittag essen/
  viel essen/
  Pute(r) und
  Pudding essen

8
– Gesellschafts-
  spiele
  spielen
– fernsehen
– spazierengehen

9
– zu Abend
  essen
– Weihnachts-
  kuchen
  essen

10
– fernsehen

b Imagine a German friend showed you the above article, and asked you if *your* family celebrates Christmas like this. Go through it, saying what you do and don't do, and adding any other things you do which are not mentioned.

> Und ihr? Wie feiert ihr das Weihnachtsfest?

c Here are some further questions to answer:

So feiert man bei uns

> Wie feiert man Sylvester bei euch?
> Und was macht man zu Ostern?
> Wie hast du deinen letzten Geburtstag gefeiert?

Listen to these six people talking about certain special occasions in the year, and the way they are celebrated in their country. Copy out the grid, and give the information asked for:

	Um welchen Feiertag handelt es sich?	Wie feiert man?
1		
2		

37 FERIENZEIT

🔲 Ferienpläne

> Was machen wir dieses Jahr? Ich würde gerne mit dem Auto nach Großbritannien fahren. Wir könnten dort eine große Tour machen.

> Ich möchte lieber an die Sonne. Könnten wir nicht 14 Tage in Spanien verbringen? Im Hotel natürlich!

> Warum nicht eine Campingfahrt machen, Vati? Zelten macht Spaß! Da sind wir die ganze Zeit im Freien!

Welche der vier Urlaube würdest du wählen? Warum? Oder würdest du einen anderen Urlaub vorschlagen?

> Auf dem Bauernhof, Mutti! Da kann ich reiten . . . und die Tiere füttern.

🦉 The following expressions will be useful for talking about where you spent/spend/intend to spend your holidays:

wo?	wohin?
in Köln, Deutschland, usw.	nach Köln, Deutschland, usw.
in der Schweiz, in der BRD, usw.	in die Schweiz, in die BRD, usw.
in den Vereinigten Staaten/USA, usw.	in die Vereinigten Staaten/USA, usw.
auf der Insel Wight, Jersey, usw.	auf die Insel Wight, Jersey, usw.
an der Costa Brava/Küste/See, usw.	an die Costa Brava/Küste/See, usw.
im Schwarzwald, usw.	in den Schwarzwald, usw.

Normalerweise .../Dieses Jahr .../ Nächstes Jahr ...		Letztes/Voriges Jahr ...	
... fahren wir ... fliegen wir	... (*wohin*?) ...	... sind wir ... (*wohin*?) ...	gefahren. geflogen.
... bleiben wir eine Woche ... (*wo*?) ...		... haben wir eine Woche ... (*wo*?) ... verbracht.	
... verbringen wir eine Woche ... (*wo*?)...		... waren wir ... (*wo*?)	
... übernachten wir ... (*wo*?) ...		... haben wir ... (*wo*?) ... übernachtet.	

Was hältst du davon?

🔲 Listen to these three people talking about different types of holiday accommodation/travel. In each case jot down in your own words **a** the type of holiday accommodation/travel **b** the person's attitude to it.

Voriges Jahr . . .

Listen to these four people talking about where they went for their holidays last year. Copy out the grid and give the information asked for:

Wo?	Wie?	Wie lange?	Bemerkungen?
1.			
2.			

Ansichtskarten

Match these postcard extracts with the correct post card:

Ich bade jeden Tag. Das Wasser ist sehr warm - viele schöne Strände. Keine Probleme mit der Sprache - die meisten Leute sprechen ein paar Worte Deutsch.

A

Wir machen lange Wanderungen über grüne Wiesen und durch schöne Wälder. Frische Luft und totale Ruhe - sooooo gesund !!!

B

Unser Hotel liegt ziemlich zentral. Wir haben viele Sehenswürdig-keiten besucht - den Dom, Galerien, Museen, usw. Tolles Nachtleben !!!

C

Wir zelten an einem Seeufer. Hier kann man allerlei Wasser-sport treiben. Ich gehe jeden Tag angeln. Ich schwimme nicht - das Wasser ist mir zu kalt !

D

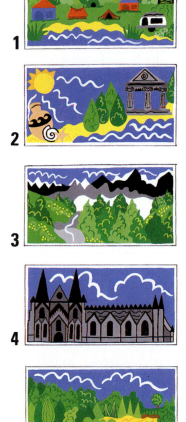

1

2

3

4

5

Suggest what might be written on the remaining card.

With a partner, discuss a past holiday. Ask each other:
a where you went and how long you stayed
b what there was there to see and do
c whether one could do certain things there (*Konnte man dort . . . ?*)
d whether there were certain facilities there (*Gab es dort . . . ?*).

Jetzt bist du dran!

Answer this letter extract from a German friend:

viel Spaß gehabt. Wo wart ihr voriges Jahr im Urlaub? Wie lange seid ihr dort geblieben? Was habt ihr gemacht? Hat's Dir gefallen? Was habt Ihr für diesen Sommer vor? Was für Urlaube magst Du nicht? Wir fahren dieses Jahr mit dem Wohnwagen nach Frankreich. Langweilig !!!

 G **10, 13, 14, 15**

Auf dem Rastplatz

Die Carters, eine britische Familie, sind auf Urlaub in Deutschland. Sie sind auf einem Autobahnrastplatz in der Nähe von Bingen. Ein Deutscher redet sie an ...

Rastplatz
bitte sauberhalten

Das ist alles falsch! Sage, was wirklich stimmt!

Die Carters sind Britisch. Sie sprechen kein Deutsch. Sie wohnen in der Nähe von Windsor. Sie fahren nach Österreich. Sie sind heute früh in Ostende angekommen. Sie sind über Holland gefahren. Sie haben zwei Nächte in Köln verbracht. Sie haben Verwandte in Köln. Sie werden eine Woche in Freiburg verbringen. Freiburg ist eine häßliche Stadt. Sie haben Freunde in Basel. Der Mann wünscht ihnen guten Appetit.

The following expressions will be useful for talking about journeys:

| Ich | fahre | von X nach Y. über Z | |
| | bin | | (weiter) gefahren. |

Was sagt er?

How do you think this German would describe this journey **a** before making it **b** after making it.

a Ich fahre nächste Woche nach England ...

b Ich bin gerade von England zurückgekommen ...

With a partner, practise asking, and saying, how far away places are. Use the six examples, and then make up more of your own:

| Ist es (noch) weit | zum/zur/zum (nächsten) ...? nach ... |

| Ja, | | es ist | ziemlich sehr | weit; | ungefähr etwa | ... Kilometer. |
| Nein, | | | nicht | | | |

A 20k → dem Rastplatz
B 16k → der Tankstelle
C 250k → KÖLN
D 12k → der Autobahn
E 180k → MÜNCHEN
F 25k → der HAFEN

Welches Schild haben sie gesehen?

Listen to these six short conversations, and decide which of the signs below the passenger has spotted:

1   **2**  ... **3**   **4**

5

6

What might have been said in the other two cases?

7

8

Wie sagt man das?

Imagine you are travelling in Great Britain with a German family. How would you tell the driver he/she:

a must carry on about 100 metres and then turn to the left
b must turn right at the lights
c isn't allowed to park here; there's a car park in the next street on the left
d should be careful and drive slowly here
e must leave the motorway at the next junction.

> Sie müssen . . .
> Sie dürfen nicht . . .
> Parkverbot
> Sie sollten . . .
> aufpassen/Vorsicht!
> langsam fahren
> die Ausfahrt
> die Autobahn verlassen

Verstehst du das?

Hierzulande...

Staus zum Ferienstart

Düsseldorf. Gefährliches Autowetter mit Dunst und Nebel sowie starker Reiseverkehr mit Unfällen haben zum Beginn der einwöchigen Herbstferien in Nordrhein-Westfalen am Wochenende auf den Autobahnen zu kilometerlangen Staus geführt.

Tagesspiegel

INFORMATION UND SERVICE

AUTOFAHREN
Die Wiener gelten als unge duldige Autofahrer. Legale Parkmöglichkeiten sind mehr als rar. Deshalb empfehlen wir, Ihren Wagen innerhalb der Stadt möglichst wenig zu benützen. Die öffentlichen Verkehrsmittel sind absolut preiswert, im Zentrum gehen Sie am besten zu Fuß.

Ihr Hotelportier sagt Ihnen gerne, wo Sie Ihr Fahrzeug abstellen können. Wenn Sie in Wien fahren, bitte ohne zu hupen und nicht mit mehr als 50 km/h. Parkscheine für Kurzparkzonen (max. 1 1/2 Stunden) bekommen Sie unter anderem in Tabak-Trafiken. Pannendienste der Autofahrerklubs gibt's rund um die Uhr.

Give four reasons why driving will be difficult in this region at the weekend. What time of the year is it?

What advice is being given here to people visiting Vienna by car?

Jetzt bist du dran!

Imagine some German friends are coming over in their car to visit you. They ask you to suggest the best way of getting from the port to your home town/village. Suggest an itinerary:

Wir freuen uns auf unseren Aufenthalt bei Euch. Könntet Ihr meinen Eltern sagen, wie wir am besten von Dover aus zu Euch kommen?

 8, 15, 34

Im Kölner Verkehrsamt

 Frau Mühlhof und Herr Seipp arbeiten im Kölner Verkehrsamt . . .

Wir bieten ausführliche Informationen und Tips für Ihr Köln-Programm. . . . Hier bekommen Sie jede Auskunft.

Hier kann man Prospekte und Broschüren bekommen . . . und noch manches andere.

Unsere Kunden kommen aus aller Welt!

Wir helfen Ihnen bei der Zimmersuche.

1 a How long has Frau Mühlhof worked here?
  b What items does she say tourists can get here?

2 a What does Herr Seipp say they give information about?
  b What other service does he mention?
  c What exactly does this service entail?

3 a What countries do their 'customers' come from?
  b What is said about the printed materials they offer?
  c What languages does Frau Mühlhof speak, and how well?

The following expressions will be useful in a tourist information office:

Haben Sie bitte	einen Prospekt eine Broschüre	über die Stadt?
Ich möchte Ich hätte gern	eine Liste von Hotels/Restaurants/Campingplätzen, usw. einen Stadtplan. einen Fahrplan.	

Allerlei Fragen!

Wie kann ich Ihnen behilflich sein?

 Listen to these four tourists making various enquiries. Copy out the grid, and give the information asked for:

Frage(n)/Bitte(n) | Auskunft/Antwort(en)
1
2

1 Zeichenerklärung

- ❭ Bedeutende historische Bauwerke, Sehenswürdigkeiten und touristisch wichtige Gebäude
- ☐ Museen und Sammlungen
- ■ Theater, Kleinkunstbühnen
- Ⓢ— S-Bahn
- Ⓤ— U-Bahn
- —12— Straßenbahn (Nr. 12 bis 29)
- --31-- Stadtbus (Nr. 31 bis 198)
- ⑫ ㉛ Endstation Tram/Bus
- Ⓟ Ⓟ Parkhaus, Parkplatz
- ▥ Einbahnstraße
- Fußgängerbereich
- ⌂ Jugendherberge
- ⌂ Städtischer Campingplatz
- ☒ Bekannter Biergarten
- ⌘ Bekannter Konzertsaal
- ❶ Auskunft und Zimmervermittlung des Fremdenverkehrsamtes im Hauptbahnhof, geöffnet 8–23 Uhr, So. u. Fei. 13–21.30 Uhr und im Rathaus Prunkhof, geöffnet Mo–Fr von 9–17 Uhr
- ▦ Abfahrtstelle Flughafen-Bus, täglich 5–21 Uhr, Abfahrt alle 15 Minuten
- ▦ Zentraler Omnibus-Bahnhof
- ▦ Abfahrtstelle Stadtrundfahrten
- ▦ Abfahrtstelle der Ausflugsbusse

2

Stadtrundfahrt

☎ 77 34 66-67. Vom 1. Mai bis 31. Oktober: täglich 10 Uhr. Vom 1. Juni bis 28. September zusätzlich samstags um 14 Uhr. Von Januar bis April und November bis Dezember nur samstags um 10 Uhr. Treffpunkt, Kartenvorverkauf und Kartenvorbestellungen Tourist-Information, Cassius-Bastei, Münsterstraße 20 Bonn 1. Kartenvorverkauf und Anmeldung am Tage selbst bis spätestens 15 Minuten vor Fahrtbeginn.

Stadtservice für Bonn-Besucher

Tourist -Information,
Cassius-Bastei   **E4**
Bonn 1, Münsterstraße 20 Nähe Hauptbahnhof, ☎ 77 34 66. Geöffnet Mo - Sa 8 - 21 Uhr, sonn- und feiertags 9.30 - 12.30 Uhr.

Tourist-Information
Bad Godesberg   **J10**
Kurfürstenallee 2 - 3, ☎ 77 39 27. Geöffnet: No - Do 14- 16 Uhr. Sa und So geschlossen.

3

Was bedeutet das?

1 Here is the key to the symbols used in a Tourist Office brochure. Jot down their meaning for some friends of yours who don't understand German.

2 Which of these *Informationsbüros* in Bonn/Bad Godesberg is the bigger/more important? Explain your answer.

3 What details about sightseeing tours would you give to friends going to Bonn **a** in April **b** in May **c** In August?

With a partner, play the parts of **A** a tourist and **B** a *Verkehrsamt* receptionist. Your dialogue should develop thus:

A enquires about certain items
B says whether they are available
A asks the price (or whether they are free)
B gives the price (or says they are free)
A says which one(s) he/she will take

Jetzt bist du dran!

Complete this letter to a *Verkehrsamt/Informationsbüro* by filling in the gaps with your own information and requests:

———————(1)————————— —
————(2)—————

Sehr geehrter Herr,

—————(3)————— und ich haben vor, ————————(4)—————— nach ———(5)———— zu fahren, um dort ——————(6)———————— zu verbringen.
Könnten Sie mir, bitte, —————(7)—————— und ——————(7)——————— zusenden.
Ich hätte außerdem noch gerne —————(7)—————— und ———————(7)————————.

Mit freundlichen Grüßen.

—————(8)——————

1	Anschrift
2	Datum
3	Wer?
4	Wann?
5	Name der Stadt
6	Wie lange?
7	Was?
8	Unterschrift

G   3b, 19, 20

Ansichtskarten kaufen

Diese zwei Münchnerinnen sind auf Urlaub in Österreich. Sie kaufen Ansichtskarten ...

a Where are the girls from?
b Where are they staying and why?
c How much do the postcards cost?
d How many does each of them have to buy?
e For whom?
f What do they ask the shopkeeper?
g What does he tell them?

These expressions will be useful for asking prices and reacting to what you are told:

Jede Karte macht Freude – schreib' Deinen Freunden!

COSY-Kunstverlag, A-5013 Salzburg, Postfach 35, Tel. 06 62/34 3 34

Was Wieviel	kostet	bitte	dieser/diese/dieses ... hier? der/die/das ... dort?	
	kosten		diese ... hier? die ... dort?	
Das ist mir (ein bißchen/viel) zu teuer! Haben Sie				noch andere? etwas Billigeres?
Er/Der Sie/Die Es/Das	ist	sehr	preiswert. günstig.	Ich nehme ihn/Den nehme ich. Ich nehme sie/Die nehme ich. Ich nehme es/Das nehme ich. Ich nehme einen/eine/eins.
Sie/Die	sind			

Geschenke und Andenken

How would you find out the prices of the following items?

der Schlüsselring(-e) das Halsband (⁼er) das Armband (⁼er) die Pfeife (-n) der Bierkrug (⁼e) das Kölnisch Wasser die Puppe(-n)

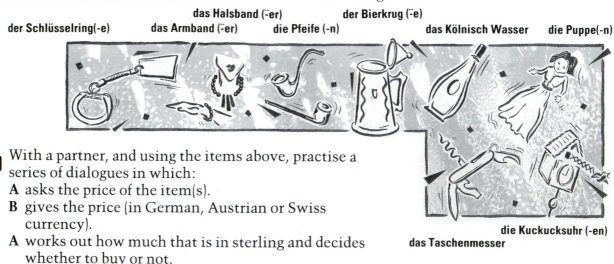

die Kuckucksuhr (-en)
das Taschenmesser

With a partner, and using the items above, practise a series of dialogues in which:
A asks the price of the item(s).
B gives the price (in German, Austrian or Swiss currency).
A works out how much that is in sterling and decides whether to buy or not.

Warum nicht?

 Listen to these six dialogues in which a German is suggesting presents which her British guest could buy for various people. In each case jot down:

a what present is suggested
b for whom
c why it is rejected.

Schon gekauft? ... Noch nicht gekauft?

Listen to this German talking about four presents he has already, or hasn't yet, bought. Copy out the grid, and give the information asked for:

Was kaufe ich ihm?

Welches Geschenk?	Für wen?	Schon gekauft?	Noch nicht gekauft?	Andere Einzelheiten?
1				
2				

This British holidaymaker is looking for a present for his father. Can you unscramble this dialogue with the shopkeeper?

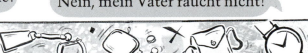

Ja, bitte ... Das wäre nett.

Einen Schlüsselring?

Wieviel wollen Sie dafür ausgeben?

Nein, er hat schon eine.

Guten Morgen. Was darf es sein?

Die Idee ist nicht schlecht. Was kostet einer, bitte?

9,00DM ... Sehr preiswert, nicht?

Ich suche ein Geschenk für meinen Vater.

Eine Pfeife, vielleicht?

Nicht mehr als 20,00DM.

Soll ich ihn als Geschenk einpacken?

Ja, das ist sehr billig. Ich nehme einen.

Wie wär's mit einer Brieftasche?

Nein, mein Vater raucht nicht!

Jetzt bist du dran!

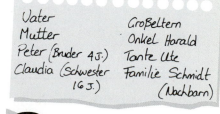

Imagine your German guest asks you to make some suggestions for presents for his/her family. Make out a list, giving alternative suggestions for each one (... **oder vielleicht** ...). Jot down also how much they are likely to cost in sterling, and the approximate equivalent in Marks. If you're not sure, give a rough price (**ungefähr** .../ **etwa** .../**rund** .../**ca.** .../**zwischen ... und** ...).

Vater
Mutter
Peter (Bruder 4 J.)
Claudia (Schwester 16 J.)

Großeltern
Onkel Harald
Tante Ute
Familie Schmidt
(Nachbarn)

 23, 24, 28

41 GELD

Auf der Bank

1 a What does the man want?
  b What is he given?
  c Where is he told to go?

2 a What does the woman want?
  b What is she asked to do?
  c What is she asked for?

3 a How much money is the man going to get?
  b How does he ask for the money to be paid?

These expressions will be useful for exchanging money and cashing cheques/traveller's cheques:

Ich möchte bitte	20 Pfund, usw. wechseln/umtauschen	
	einen Reisescheck	zu 20 Pfund, usw. einlösen.
	zwei Reiseschecks	

Was sagst du?

What would you say if you wanted to change/cash the following:

Wie hätten Sie das Geld gerne?

Listen to these five people telling the bank clerk how they would like their money paid. Try to identify each one from the illustrations below.

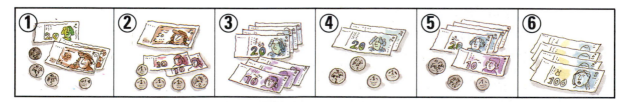

What do you think the remaining person must have said?

110

Was für eine Währung ist das?

ein Zwanzigmarkschein

deutsches Geld

ein Fünfmarkstück

eine Münze

Kleingeld

eine Mark = hundert Pfennig

Geld aus Österreich
– österreichisches Geld

ein Schilling = hundert Groschen

Geld aus der Schweiz
– schweizer Geld

ein Franken = hundert Rappen

Tips von der Polizei

Here are some useful tips about keeping your money safe. Jot down the gist of them in your own words in English!

Wie steht der Kurs?

Wie steht das Pfund im Moment?

```
£1 = DM --,--
      öS --,--
      sF --,--
```

With a partner, play the parts of **A** a bank clerk, and **B** a customer. Use the illustrations opposite as a guide. Practise dialogues as follows:

B asks to change/cash the amounts illustrated.
A asks for identification.
B gives his/her passport.
A asks for **B**'s signature.
A says what the exchange rate is and calculates how much **B** is to get and tells him/her to go to the cash desk.   *   *   *   *

A repeats amount **B** is to get and asks **B** how he/she wants the money.
B answers.
A repeats it as he/she pays it out.
B thanks **A**.

111

 3b, 8, 59

Ich brauche Benzin!

Hör zu! Was ist richtig? Was ist falsch?

1 a Der Autofahrer hat viel/wenig Benzin.
  b Er ist mit seiner Frau/Tochter unterwegs.
  c Sie müssen an der Ampel/Kreuzung links/rechts abbiegen.

2 a Er will 60 Liter/für 60 DM Super/Normal.
  b Der Autofahrer/Tankwart prüft das Öl und das Wasser.
  c Der Autofahrer braucht kein Wasser/Öl.
  d Der Tankwart prüft außerdem die Reifen/Batterie.

These expressions will be useful at a petrol station.

Ich möchte	bitte	20 (usw.) Liter	Diesel. Normal/Super. Bleifrei.	
Geben Sie mir				
		einen (halben) Liter Öl.		
Für 100 DM (usw.)		Diesel. Normal/Super. Bleifrei.		
Volltanken, bitte, mit				
Können Sie	bitte	das Öl/den Ölstand das Wasser/den Wasserstand die Reifen/den Reifendruck	(über) prüfen? nachsehen? kontrollieren?	
Würden Sie				

Wasser(stand)

Brauche ich Luft?

Here is a tyre pressure conversion chart (**Umrechnungstabelle**)

GB	22	24	26	28	30
Continental	1,5	1,6	1,8	1,9	2,1

Use it to tell the attendant the following;
a Front 22, back 24
b Front 24, back 28
c Front 26, back 30
d 24 all round

Öl(stand)   **Reifen(druck)**

Selbstbedienung

> Entschuldigen Sie! Sie haben Ihren Beleg vergessen. Den müssen Sie zur Kasse mitbringen. Sonst wissen wir nicht, wieviel Sie getankt haben! Verstehen Sie?

What is this British tourist being told?

Entschuldigen Sie ...?

> Ach ja! Danke! Jetzt verstehe ich!

Listen to these three people asking the petrol pump attendant questions. Copy out the grid, and give the information asked for:

Was fragt er/sie?	Was antwortet der Tankwart?

Here are some expressions which will be useful for asking whether you can get/do certain things at the service station:

First match up the words and pictures. Then, working in pairs, practise using the above expressions in short dialogues.

Toiletten, (ein) Telefon, Eis,

(heiße/kalte) Getränke, Landkarten,

Picknicktische, einen Kinderspielplatz,

etwas zu essen/trinken, Blumen,

Süßigkeiten, Bonbons, Schokolade

> Haben Sie hier . . . . . ?
> Gibt's hier . . . ?
> Kann man hier . . . . . bekommen/kaufen?
> Verkaufen Sie hier . . . . . ?

In pairs, play the parts of **A** an attendant and **B** a motorist, and make up two dialogues, basing them on the following illustrations. **A** should greet **B** and ask what he/she requires. (*Was darf es sein?*, etc.) and ask if anything else is required (*Sonst noch etwas?/Haben Sie noch einen Wunsch?*). **A** should also add any other necessary remarks (*Das Öl ist in Ordnung/Sie brauchen einen halben Liter Öl*, etc.):

G 3b, 8, 9, 21

Kannst du helfen . . . ?

Imagine you receive this letter from some German friends. Choose a suitable holiday home from those in the brochure extracts below. Write a letter back to them, giving as many details as you can of the property you recommend:

Unsere Nachbarn, die Brückners, haben vor, diesen Sommer nach England zu fahren. Sie möchten drei Wochen im Südwesten verbringen, in Devon oder Cornwall. Ihr wart doch schon mal im Urlaub dort, und wir dachten, Ihr könnt vielleicht ein Ferienhaus für sie empfehlen.
Sie haben vier Kinder, zwei Töchter (3,16) und zwei Söhne (8,14). Sie suchen ein Haus oder einen Bungalow in einer ruhigen Lage. Das soll aber nicht zu weit vom Meer entfernt sein. Kannst du ihnen helfen?

LOWER SWANNATON FARM ★★S/C   S.Devon
46 acres Dairy, various animals   Sleeps up to 6 + Cot   Dartmouth (1mlsS)

A traditional farm with good selection of friendly animals wandering around. The area around Dartmouth has good beaches, excellent sailing on the Dart, fishing and bird watching at Slapton Ley. A few miles to the north, via the ferry, are the resorts of Torbay which offer a full range of holiday entertainment. The accommodation comprises a fully self contained part of the farmhouse: 2 bedrooms with a double bed, 2 with a single. Shower room with WC. Lounge-diner. B&W TV. Kitchen. Garden. Beach, shops 2 miles, golf 5, fishing 6. Advance orders milk. Baby sitting arranged. Dogs by arrangement. ELECTRICITY, HOT WATER AND BED LINEN INCLUDED.

WARMLEIGH FARM BUNGALOW ★★★S/C   Devon
210 acres   Sleeps up to 4 + Cot   Clovelly (3mlsSW)

A modern detached bungalow a short distance from the farm. It is in a quiet position and has a large enclosed lawned garden. Visitors are welcome to see the farming activities and animals. Clovelly is a famous little fishing village with a very steep cobbled and stepped street leading to the harbour and the area has several other little quiet beaches as well as the superb sands of Westward Ho! Two bedrooms: 1 with a double bed, 1 with twin beds. Lounge with colour TV, dining room-cum-kitchen. Bathroom and WC. Beach 3 miles, golf, fly & coarse fishing 4, shops 3, riding 6. Advance orders. Elec. meter. Dogs accepted if kept under control. Auto washing machine. Fridge-freezer. Linen for hire. High chair. Part C.H. inc.

THE COTTAGE, LEWORTHY ★★★S/C   N.Devon
27 acres Jersey Cows   Sleeps 6/7 3 bedrooms + Cot   Clovelly (4mlsSE)

The cottage adjoins the farmhouse, and is in a very peaceful situation. The farm specialises in cream & icecream. Visitors are very welcome to see the animals and help with feeding. There is a pleasant garden with furniture. The area has good beaches, wide choice of attractions, spectacular scenery and picturesque villages such as Clovelly. The cottage is well furnished and equipped: 3/4 bedrooms all with elec. blankets, 2 with double bed (1 downstairs), 1 twin, small playroom with z-bed. Attractive lounge with col. TV and open fire (logs usually available). Well fitted kitchen, autowasher-drier. Bath, sep. shower & WC. 2 Economy 7 heaters. Beach 5 miles, riding, shop, pub 2, golf, fishing 4. Advance orders. Elec. meter. Pets welcome under strict control.

WORDEN FARM ★★★S/C   N.Devon
150 acres Dairy   Sleeps up to 6 + Cot   Bude (8mlsNE)

A fully self-contained cottage adjoining the farmhouse, in a beautiful rural area, yet situated only a few miles from the spectacular coasts of Devon and Cornwall. An interesting day can be spent at the nearby Tamar Lakes Water Park. You are welcome to look around the farm, watch the cows being milked and help feed the calves. Come coarse fishing on our private lake and conservation area. Hard tennis court. Large picturesque garden with plenty of room for the children to play. Pet rabbits. Three bedrooms: 2 double bedded (1 + H&C), 1 with bunk beds. Bathroom with WC. Lounge, Kitchen-diner, washing machine, colour TV. Beach 8 miles, sailing 3, fishing on site and 3, shops 1. Advance orders. Elec meter. Regret no dogs.

Globetrotter!

Jedesmal, wenn Familie Wendler vom Urlaub
heimkommt, bringt sie als Andenken ein paar Banknoten
mit. Die Wendlers haben schon viele Länder besucht.
Wie viele erkennst du an den Banknoten?

**Österreich   Schweiz   Frankreich   Spanien
Holland   Irland   Italien   Deutschland**

Die Steirische Apfelstraße

a Wo gibt es hier in der Nähe ein
Verkehrsamt?
Wo kann man hierzulande Geld
wechseln?
Wo kann man einkaufen?
An wen kann man sich wenden, wenn
man krank ist?
Was kann man aus dieser Gegend als
Geschenke oder Andenken mitbringen?
Was ist wohl das größte Dorf der
,,Apfelstraße''?
Was gibt es hier für Familien mit
kleinen Kindern?
Was für Sportarten kann man
hierzulande treiben?
Was gibt's sonst zu sehen und zu tun?

b Imagine you have been staying in this
area on holiday. Write to a German friend,
telling him/her what you have been doing,
what you intend to do, what the weather
has been like, and what you think of the
place.

c With a partner play the parts of **A** a
German who has just been to this area for a
holiday **B** his/her friend. Prepare a
conversation in which **B** asks **A** about his/
her holiday, and **A** gives the details asked
for.

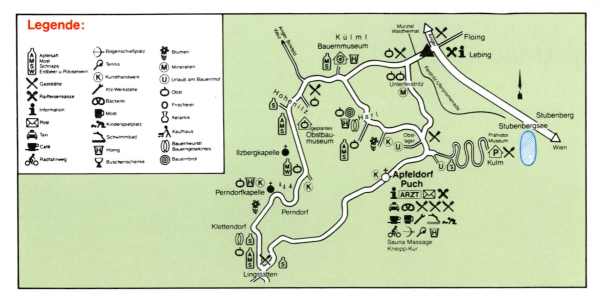

Verboten!

What mustn't you do? Why? What will happen if you do?

A   **B**   **C**

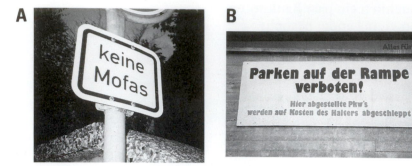

Die Polizei rät

Here are two short items in which the police give advice to motorists. In each case say **a** what the problem is and **b** what advice motorists are given:

> Was zu tun ist, wenn das Auto gestohlen wurde:
>
> # Sofort die Polizei und die Versicherung informieren
>
> **Täglich werden in der Bundesrepublik zwischen 200 und 250 Kraftfahrzeuge gestohlen. Fast zwei Drittel davon verschwinden auf Nimmerwiedersehen.** | **Dabei werden die meisten gestohlenen Autos über Nacht von der Straße geklaut. Aber auch Parkplätze, Parkhäuser und Tiefgaragen sind beliebte „Tatorte".**

Wertsachen sollten in den Kofferraum

Einbruchsdiebstähle und Unfälle sind in Hamburgs Parkhäusern trotz bestmöglicher Überwachung natürlich nicht auszuschließen. Wer's nicht mehr weiß: In Parkhäusern gilt im allgemeinen die Straßenverkehrsordnung, für Schäden kommt nur die (Teil-)Kasko-Versicherung auf. Also: Wertsachen immer im Kofferraum verstauen!

Erkläre auf Deutsch, was dies bedeutet:

KRAFTFAHRER :

Ein schönes Andenken!

A visitor to Cologne took home this little souvenir of his stay! Read it and try to work out exactly what happened!

VERWARNUNG

im Auftrag — *Verwarnungs-Nr.*

In Höhe von: **50** DM

Wegen der nebenstehend bezeichneten Verkehrsordnungswidrigkeit wird gem. §§ 56, 58 und 57 des Gesetzes über Ordnungswidrigkeiten (OWiG) mit Ihrem Einverständnis verwarnt. Diese Verwarnung wird nur mit Ihrem Einverständnis wirksam. Sie können ein bereits erhobenes Verwarnungsgeld unverzüglich einzahlen. Bedienen Sie sich hierbei bitte der anhängenden Zahlkarte. Sollten Sie einen anderen Zahlungsweg wählen, beachten Sie bitte die Hinweise auf der Rückseite der Zahlkarte.

Geht das Verwarnungsgeld innerhalb einer Woche nicht ein bzw. verspätet eingegangene Beträge bzw. Teilbeträge werden nicht anerkannt gilt Ihr Einverständnis als verweigert. Sie müssen dann rechnen, daß ein Bußgeldverfahren eingeleitet wird.

Schriftliche Äußerungen ohne Angabe der Verwarnungsnummer können nicht bearbeitet werden.

Stadt Köln

Der Oberstadtdirektor - Amt für öffentliche Ordnung

Anschrift:
Appellhofplatz 23-25 · EL-DE-Haus · 5000 Köln 1
Konto der Stadtkasse Köln
Postgirokonto Köln, Kto.-Nr. 38 48-508 (BLZ 370 100 50)

Amtliches Kennzeichen: **WHA 178 X**   *Fabrikat:* **ROVER**   *Bez.-Nr.* **91**

Datum **05.09.87**   *von — Uhrzeit — (bis)* **15.59**

1 vor dem Grundstück   4 auf dem Parkplatz
2 neben d. Grundstück   5 an der Ecke
3 gegenüber d. Grundst.

In Köln **FRANKGASSE** **03**   **UNTER-FÜHRUNG**

Verwarnungsgrund gem. Schlüssel (siehe Rückseite)

☑ mit Verkehrsbehinderung

Dienst-nummer: **319**   *TÜV- bzw. ASU-Termin*   *Parkuhr-Nr. bzw. Nr. des Parkscheinautomaten*

Höchstparkdauer in Minuten ☐ 30 ☐ 60 ☐ 120 ☐ 180

Unzulässiges Parken   **StVO**

01 im — absoluten — Haltverbot (Zeichen 283)   § 12 I Nr. 6 a
02 im eingeschränkten Haltverbot (Zeichen 286) ohne zügiges Be- und Entladen   § 12 I Nr. 6 b
03 auf einem Gehweg
04 auf einer Fläche außerhalb der Fahrbahn
05 auf einem Radweg   §§ 2 I, 12 IV
06 in einer Fußgängerzone (Zeichen 241)   §§ 2 I, 12 IV
07 an einer falsch- bzw. nichtbedienten Parkuhr   § 41 II Nr. 5
08 an einer Parkuhr — Höchstparkzeit überschritten   § 41 II Nr. 5
09 an einem Parkscheinautom... Parkschein   § 13
10 an einem P...   § 13

Teurer? ... Billiger?

Listen to these Germans comparing prices at home with those in Great Britain. Copy out this grid, and give the information asked for:

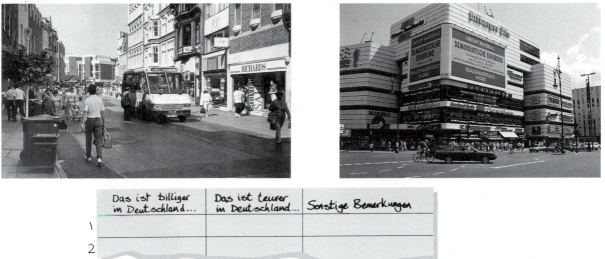

Das ist billiger in Deutschland...	Das ist teurer in Deutschland...	Sonstige Bemerkungen
1		
2		

Trampen ... Dafür oder dagegen?

Listen to these six people speaking about hitch-hiking. In each case, jot down what their attitude to it is, and why they think the way they do.

Ferienparadies *X-town*!

Draw up a brochure and/or a poster for German tourists in which you bring to their attention the attractions and holiday possibilities of your village, town, part of town, local area. This can be either serious or 'tongue-in-cheek'! Some expressions are given below, but you need not confine yourself to these:

Kommen Sie nach ...!
Besuchen Sie ...!
... ist/sind bestimmt ein Besuch wert!
Hier ist/sind ...
Hier finden Sie ...

Hier kann man ...
Probieren Sie ...!
... ist/sind nicht zu verfehlen!
X-town bietet ...

IN DER JUGENDHERBERGE

das Anmeldeformular

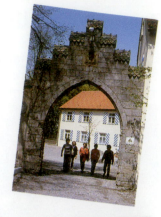

🔊 Drei Briten kommen in der Jugendherberge an …

Was stimmt?

Das Mädchen heißt **Davies/Davids/Davis**.
Sie wollen **eine Nacht/zwei Nächte/drei Nächte** bleiben.
Diese jungen Leute kommen aus **England/Wales/
Schottland**.
Der Herbergsvater will ihre **Pässe/Ausweise/
Führerscheine** sehen.
Sie **haben/brauchen/kaufen** Bettwäsche.
Sie wollen **eine/zwei/drei** Mahlzeit(en) pro Tag
einnehmen.
Sie müssen **sofort/bald/später** zahlen.

🦉 The following expressions will be useful for checking
into a youth hostel:

Haben Sie noch Platz für	einen Jungen/zwei Jungen?	
	ein Mädchen/zwei Mädchen?, usw.	
Ich habe ein Bett/zwei Betten reserviert.		
Ich habe	vor	ein paar Tagen	eine Postkarte	geschrieben.
		einer Woche	einen Brief	geschickt.
Ich möchte/Wir möchten eine Nacht/zwei Nächte bleiben.		
Kann ich/Können wir Bettwäsche leihen?		
Ich hätte gern/Wir hätten gern Frühstück/Mittagessen/Abendessen.		

> Das Haus ist mit
> öffentlichen
> Verkehrsmitteln bequem
> zu erreichen.
>
> Schnellbahn:
> S 10 und S 22 bis Bhf.
> Mittersendling - dann 15
> Minuten zu Fuß.
>
> Straßenbahn:
> Linie 29 bis
> Boschetsrieder/
> Plinganser-Straße - dann
> 2 Minuten zu Fuß.
>
> Städt. Omnibusse:
> 31 und 57 bis
> Thalkirchnerplatz - dann 5
> Minuten zu Fuß.

Wie komme ich am besten dorthin?

What advice would you give a friend about getting to the
Jugendgästehaus by public transport?

Was kostet das, bitte?

🔊 Listen to this person enquiring about the
cost of staying in the *Jugendgästehaus
München*. Copy out this price list and add
the prices as you hear them:

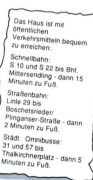

Übernachtung, Bettwäsche, Frühstück	Junior
Einbettzimmer	
Zweibettzimmer	
Drei- und Vierbettzimmer	DM
Mehrbettzimmer	DM
	DM
Halbpension	DM
Einbettzimmer	
Zweibettzimmer	
Drei- und Vierbettzimmer	DM
Mehrbettzimmer	DM
	DM
Vollpension	DM
Einbettzimmer	
Zweibettzimmer	
Drei- und Vierbettzimmer	DM
Mehrbettzimmer	DM
	DM
	DM

Wo ist/sind . . . ?

a Imagine you have been in this youth hostel for a while and know your way around. You are on the ground floor and are asked the following questions. Can you help the people?

hier→	im zweiten (usw.) Stock
	im ersten Stock
oben ↑	im Erdgeschoß
	im Keller
unten ↓	

1 Jungentoiletten **2** Mädchentoiletten
3 Jungenschlafräume **4** Mädchenschlafräume
5 Jungenduschen **6** Mädchenduschen **7** Büro/Rezeption
8 Aufenthaltsraum/Fernsehzimmer **9** Speisesaal
10 Tischtennisraum

> Wo sind die Toiletten, bitte?

> Gibt es hier ein Fernsehzimmer?

> Kann man hier essen?

> Wo ist die Bibliothek?

b Think of five more sets of questions and answers.

With a partner, play the parts of **A** a *Herbergsvater/mutter* and **B** a visitor enquiring about places in the youth hostel. Practise three dialogues in which **A** asks the questions below and **B** answers according to the symbols:

> Für wie viele Personen?
> Sind das Jungen oder Mädchen?
> Für wie viele Nächte?
> Braucht ihr Bettwäsche?
> Welche Mahlzeiten möchtet ihr?

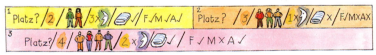

Jetzt bist du dran!

Liebe(r) ––**(1)**–––,

wir haben vor, ––**(2)**–– nach ––**(3)**–– zu fahren. Wir kommen ––**(4)**–– an, und möchten –––**(5)**––– bei Ihnen übernachten. Bitte reservieren Sie –––**(6)**–––. Wir sind –––**(7)**––– und –––**(8)**–––.

Mit freundlichen Grüßen,
–––**(9)**–––

1 Herbergsvater/–mutter/–eltern?
2 Wann? 3 Name der Stadt? 4 Datum?
5 Wie viele Nächte? 6 Wie viele Plätze?
7 Wie viele Jungen? 8 Wie viele Mädchen?
9 Unterschrift

 2, 8, 21, 57, 60

44   IM HOTEL

Was für ein Zimmer soll es sein?

Beantworte folgende Fragen:
a Was für ein Zimmer möchte der Mann?
Wie lange will er bleiben?
Wie ist sein Nachname?
Und sein Vorname?
Wann genau wird er ankommen?

b Was muß der Mann tun, bevor er auf sein Zimmer geht?
Was muß er nicht sofort tun?
Welche Zimmernummer hat er?
In welchem Stock liegt sein Zimmer?
Was gibt ihm der Portier?

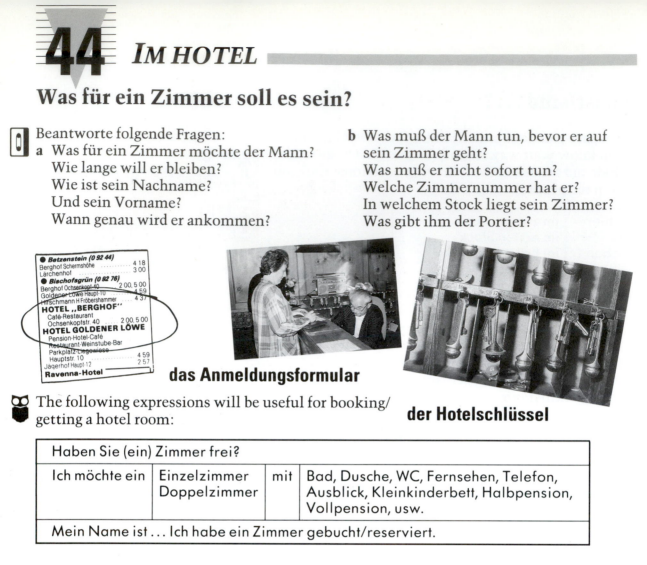

das Anmeldungsformular

der Hotelschlüssel

The following expressions will be useful for booking/ getting a hotel room:

Haben Sie (ein) Zimmer frei?			
Ich möchte ein	Einzelzimmer Doppelzimmer	mit	Bad, Dusche, WC, Fernsehen, Telefon, Ausblick, Kleinkinderbett, Halbpension, Vollpension, usw.
Mein Name ist . . . Ich habe ein Zimmer gebucht/reserviert.			

Reservierungen

What would these people need to say in order to book these rooms?

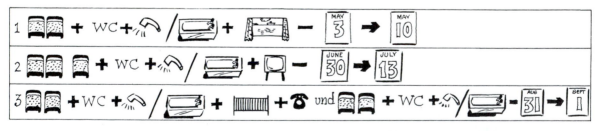

Fragen . . . Antworten . . .

Listen to these four people asking the receptionist (*der Portier*) various questions. Copy out the grid, and give the information asked for:

	Frage	Antwort
1		
2		

Was würdest du empfehlen?

Read these details about three German hotels and decide which one(s) you would recommend for people with the following requirements:

We don't want to be out in the sticks!

We like our food, but we have to be careful about what we eat.

We'd like an *en suite* toilet and shower.

We'd like plenty for the children to do.

We'd like a bit of peace and quiet.

We only want half board.

Hotel Königshof
Bahnhofstraße 23
8580 Bayreuth Tel.: 0921/24094
Zentral gelegenes Hotel mit 66 Betten, zus.
Zustellbetten,1 Restaurant (50 Pers.), 1 Nebenzimmer
(25 Pers.). 4 Tagungsräume für 12-25 Pers.,
Zimmerservice. Sauna, Solarium, Fitneßraum. Hauseig.
Parkplätze. HP und VP möglich.

Gasthaus-Pension Waldeslust
Oberölbühl Sonnenstraße 2
8591 Brand/Opf. Tel.: 09236/236
Neuerbautes Haus in ruhiger Lage am Ortsrand.
24 Betten, Gaststube (56 Pers.), Frühstücksraum mit TV,
Zimmerservice. Eig. Fischwasser für Angler, Liegewiese,
Garten, Blockhütte m. Grillplatz, TV-Raum,
Gemeinschaftsraum, Kinderspielmöglichkeiten..
Hauseig. Parkplätze (25 Pkw, 3 Busse),
Geselligkeitsveranstaltungen. Gästeabholung kostenlos.

**Pension Schweizerhaus
mit Gästehaus Andrea**
Quellenweg 1
8591 Bad Alexandersbad Tel.: 09232/4360
Modern eingerichteter Familienbetrieb mit 25 Betten, alle
mit Du/WC. Restaurant, Diätküche, eigene Konditorei.
Fernseher im Zimmer, Aufenthaltsraum, Sauna,
Liegewiese, Garage und Parkplätze am Haus.

With a partner, play the parts of **A** a visitor and **B** a hotel receptionist.

A gives his/her name.

B (using the notes opposite)
 – welcomes **A** and checks details of reservation
 – gets **A** to sign register
 – gives room number and says what floor it's on
 – finds out what meals **A** requires
 – deals with luggage and showing him/her to room.

A responds appropriately to the above.

Jetzt bist du dran!

Write a short letter in which you book appropriate hotel accommodation for your family for the night of 29th/30th July. Use the model below:

.....(1).....
.....(2).....

Sehr geehrte Damen und Herren,

wir möchten ...(3)... für die Nacht vom ...(4)/(4)...
reservieren. Wir hoffen, gegen ...(5)......(6)...
anzukommen.

Mit freundlichen Grüßen

...(7)...

Handwritten note:

Mr. Dehning
single (WC & shower)
Rm. 8 (ground floor)

Mrs. Kroger
single (WC & bath)
Rm. 41 (3rd floor)

1 Eigene Anschrift
2 Datum 3 Zimmer,
usw. 4 Daten
5 Wieviel Uhr?
6 vormittags?
 nachmittags? abends?
7 Unterschrift

 14, 15, 61

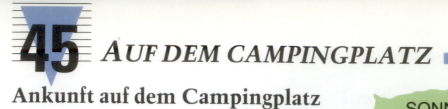

45 AUF DEM CAMPINGPLATZ

Ankunft auf dem Campingplatz

Eine Familie kommt spät abends auf dem Campingplatz „Sonnencamping" an . . .

SONNENCAMPING	
○○○○○○○○○○○○○	
PREISLISTE	
ERWACHSENE	S 22.-
KINDER (ab 6 Jahren)	S 17.-
AUTO	S 20.-
WOHNWAGEN	S 20.-
WOHNMOBIL	S 35.-
WOHNZELT (je n.Grösse)	S10–30.-
VORZELT	S 10.-
STROM (pauschal)	S 15.-
HEIZUNG (nur im Winter)	S 5.-
ORTSTAXE	S 5.-
DAUERSTELLPLATZ	S 14.-

1 What details are given about the family?
2 How long are they intending to stay?
3 What sort of accommodation have they got?
4 What sort of 'extras' do they require?

5 What details are given about their pitch?
6 What do they want to buy?
7 What is said about the camp shop?
8 How is the campsite manager able to help?

The following expressions will be useful for booking into a campsite:

Haben Sie noch Platz?			
Wir sind	ein Erwachsener/eine Erwachsene zwei Erwachsene	und	ein Kind. zwei Kinder, usw.
Wir haben	ein Auto/ein Zelt/einen Wohnwagen/ein Wohnmobil. zwei Autos/zwei Zelte/zwei Wohnwagen, usw.		
Wir möchten eine Nacht/zwei Nächte, usw. bleiben.			

Was sagen sie?

What would these people need to say in order to book into a campsite?

Was ist los?

In each of these four short conversations a question is asked and answered. Copy out the grid opposite, and jot down the information asked for:

	Frage	Antwort
1		
2		
3		

Was hat Ihnen gefallen? ...

Listen to these three people talking about campsites they have been to. Some of them are saying positive things, the others are saying critical things. Copy out the grid and indicate whether the places were good or bad, and what reasons are given:

	gut? schlecht?	warum?
1		
2		
3		

Was bedeutet das?

a Match up these symbols with their meanings:

Fremdsprachenkenntnisse des Betreuungspersonals

Guter Schatten durch Baume (bis 2/3 der Gesamtfläche)

Platzbeleuchtung vorhanden

Toiletten mit Wasserspülung

Einzelwaschkabinen

Duschen

Waschewaschbecken

Toiletten für Rollstuhlfahrer evtl mit Waschgelegenheit und/oder Dusche

Aufenthaltsraum

Imbiß

Lebensmittelversorgung

Babywickelraum buw. Waschgelegenheit für Kleinkinder

b What facilities does Camping Pilgersee offer?

Play the parts of **A** a tourist and **B** a campsite receptionist. Use the price list opposite:
A asks if **B** has room and gives details of party, vehicle(s), etc.
B quotes prices for each 'item' and gives the final total.

Jetzt bist du dran!

Complete this letter to a German/Swiss/Austrian campsite on behalf of your (or a neighbour's) family:

Sehr geehrte Damen und Herren,

wir haben vor, in kommendem ... (1) ... eine Reise durch ... (2) ... zu machen und möchten bei Ihnen ... (3) ... Station machen und zwar ... (4) ... Wir hätten gern einen Stellplatz/Stellplätze für ... (5) ... Wir werden ... (6) ... sein.

Mit freundlichen Grüßen
Ihre Mr. & Mrs. Stilton

1 Jahreszeit
2 Land
3 Wie viele Nächte?
4 Datum, bezw. Daten
5 Zelt (-e), Wohnwagen, Auto (-s), usw.
6 Wie viele Erwachsene und Kinder?

Camping Pichlingersee

Dicht am Pichlinger See gelegen, Badeplatz Zufahrt: Westautobahn, Abfahrt Asten/St. Florian über Bundesstr. 1 Richtung Linz

Information: Campingplatz Pichlingersee Wienerstr. 937 Tel. 0732/40016

2,2 ha Gras- oder Erdboden, 130 Stellplätze für Touristen, 30 Stellplätze für Dauercamper, Betriebszeiten: ganzjährig, Stromanschluß 220 V, Platzbeleuchtung, Waschbecken, Duschen, Toiletten mit Wasserspülung, Babywickelraum bzw. Waschgelegenheit für Kleinkinder, Waschmaschine, Lebensmittelversorgung, Gaststätte, Imbiß, Badegelegenheit, Tischtennis, Fremdsprachenkenntnise Betreuungspersonals: GB, Hundeverbot

Preise auf Anfrage direkt beim Platzvermieter

  G 45, 61, 64

🔲 Laß uns ins Restaurant gehen!

Bierstübchen Viktoria·43 .... 50 33 57
Birkenhof

Birkenhof

Restaurant · Hotel
Vennwegen, Mulartshütter Str. 20
(0 24 08)   53 38

Unter neuer Leitung

Bismarck Eck Oppenhoffallee 138 .... 50 65 87
Bismarckstübchen Bismarck·180 .... 51 13 26

1 a For which evening is the man
       booking?
   b For how many people?
   c For what date?
   d What time does the man want?
   e What time does he get?
   f What is his name?

2 a Where is their table?
   b What do they order to drink?
   c Which set menus do they choose?

3 a Do they pay separately or together?
   b How much do(es) the bill(s) come to?
   c How much is left as a tip?

🦉 The following expressions will be useful for ordering food
in a restaurant:

Ich möchte/nehme ... Mein(e) Freund(in) möchte/nimmt ...		
Als	Vorspeise Hauptgericht Gemüse Nachspeise/Nachtisch, usw.	nehme ich/nehmen wir ...
Und dazu ...		

Herr Ober ...!

Using some of the above expressions, and the vocabulary
below, order the following items:

der Wein	die Gemüsesuppe	die Torte
der Käse	das Eis	der Aufschnitt
die Pommes frites	der Kaffee	die Bockwurst

Fragen ... Antworten ...

Here are six short conversations you might overhear in a restaurant. Copy out the grid opposite and give the information asked for:

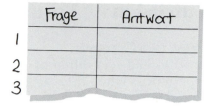

	Frage	Antwort
1		
2		
3		

Die Speisekarte bitte ...

Can you understand all of the items on this menu? Order a complete meal for yourself:

So pingelig!

Using the menu above, order a meal for this fussy friend of yours, taking account of his likes and dislikes!

> I don't like eggs ...I don't like fish either!
> I don't like anything with onions or tomatoes in it!
> I don't like rice ...I don't like chips either!
> I like to have lots of vegetables!
> I can't stand chicken!
> I don't like anything sweet!
> Pity there isn't any cheese ... I like cheese!
> I don't drink coffee ... I'd much rather have tea!

With a partner, play the parts of **A** a customer and **B** a restaurant employee:

A phones up to book a table for two, four or six people, for a particular time.

B has previously decided when tables are available between 18:30 and 23:00 (see notes opposite).

A and **B** negotiate a time.

Samstag 8. Oktober

18:30 2/4/6/8
19:00 2/4/6/8
19:30 2/4/6/8
20:00 2/4/6/8

Welches Wort paßt nicht dazu?

Finde in jeder Reihe das Wort, das nicht zu den anderen paßt. Erkläre warum:

Apfel/Kartoffel/Birne/Orange/Banane
Tee/Limo/Cola/Sprudel/Sahne
Steak/Schnitzel/Käsebrot/Leber/Kotelett
Kellner/Teller/Glas/Untertasse/Schüssel
Abendessen/Kinderteller/Abendbrot/Frühstück/
Mittagessen

BIRKENHOF RESTAURANT-HOTEL

Vorspeisen

Aufschnitt (verschiedene Wurstsorten)	DM5,50
Rollmops	DM3,50
Russische Eier	DM3,50
Italienischer Salat	DM3,50

Suppen

Hühnerbrühe	DM3,00
Ochsenschwanzsuppe	DM2,50
Tomatensuppe	DM2,00

Hauptgerichte

Wiener Schnitzel mit Bratkartoffeln	DM11,50
Beefsteak mit grünen Bohnen	DM 9,50
Hähnchen mit Pommes frites	DM10,00
Gulasch mit Reis	DM10,00
Bockwurst mit Kartoffelsalat	DM 6,00

Beilagen

Pommes frites	DM1,50
Salzkartoffeln	DM2,00
Gemischter Salat	DM2,50

Nachspeisen

Obst	DM4,50
Kompott	DM3,00
Torten und Kuchen	DM1,80–DM3,50
Eis	DM3,00
Kaffee	DM3,60

Bedienung nicht eingeschlossen

Zum Lachen

Was passiert hier? Warum ist das komisch?

„Einmal Nachttisch, bitte, die Herrschaften!"

 6, 29, 40, 65

Zufrieden ... Enttäuscht ...

These two German families had very different experiences when they rented holiday accommodation last year ...

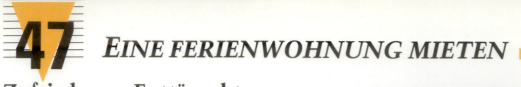

1 **a** What sort of accommodation did the Brauns rent?
   b How long did they stay there?
   c What particularly pleased them about the place?
   d What are their plans for next year?

2 **a** What accommodation did the Schmidts have?
   b How long were they there?
   c What were they disappointed with?
   d What do they intend to do next year?

Here are some expressions which will be useful for talking about accommodation and the facilities it offers/offered:

Die Wohnung, usw. hat ... Es gibt ... Wir haben ...	Die Wohnung, usw. hatte ... Es gab ... Wir hatten ...
Wir können ... (+ *infinitive*)	Wir konnten ... (+ *infinitive*)

Was für eine Unterkunft haben Sie?

Imagine you were renting this holiday flat in Germany. Describe it to some Germans you meet:

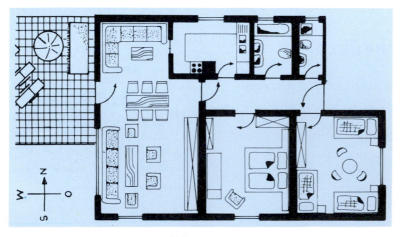

Wir mieten eine Ferienwohnung. Wir sind sehr zufrieden damit. . . . .

Wir haben eine Ferienwohnung gemietet

Listen to these three people talking about holiday homes they rented. In each case jot down any details about the accommodation/facilities offered.

Was würdest du empfehlen?

Of these three groups of people, which two would be best accommodated in the holiday homes below, and why?

a Jot down notes for each group, giving them an idea of what sort of accommodation/facilities they can expect.

b Work out how much it will cost them for a seven-day stay during the high season.

With a partner, play the parts of **A** a German and **B** yourself.

A is phoning you to ask for information about your house with a view to a 'house-swop' (*Hausaustausch*):

A should prepare ten things to ask about your house (*Wie viele Schlafzimmer haben Sie? Sind das Einzel- oder Doppelbetten? Wie ist die Küche? usw.*).

B should give the information asked for.

Jetzt bist du dran!

a Choose the most suitable holiday accommodation for your family from the four places at the top of the page. Complete the card for a stay from 31st July – 13th August. (NB. Some parts of the form may not be applicable to your booking.)

b Write a brief description of your house, flat, etc., in order to advertise it as a holiday home. Include a floor plan, and details of the facilities it offers.

Wohnung Hertha – Hof a. d. St. (Mitwitz)
Ferienwohnung für max. 6 Pers., 110 qm

Das ideale Haus für Ihren Urlaub. In der geräumigen und modern ausgestatteten Wohnung werden auch Sie sich wohl fühlen! Wohnraum mit TV und Liege, je 1 Doppel- und Dreibettzimmer (Kinderbett vorhanden). Küche mit E-Herd und Eßecke. Balkon, Liegewiese, Gartenmöbel, Grillecke und Garage, 300 m zum Wald.
Ortsbeschreibung Seite 44

Vermittlungs-Nr. | | | | | | **6026**

Preis pro Tag bis 4 Personen	Zuschlag pro Tag pro Person	Ermäßig Vor-/Nach Saison	Strom kWh	Nebenkosten* Heizung pro Tag	End reinigung
47,—	6,—	—	—,35	3,—	30,—

Appartement Ziener – Steinbach a. W.
Ferienappartement für max. 2 Pers., 18 qm

Moderne Ferienwohnungen in Steinbach a. W. Ruhige Lage. 2 Terrassen, Gemeinschaftsaufenthaltsraum mit TV. Liegewiese, offener Kamin. Ferienappartement für 1 bis 2 Personen. Wohn-/Schlafraum, Kochnische, Dusche/WC. Weitere Wohnungen (für max. 4 Personen) stehen im Haus zur Verfügung.
Ortsbeschreibung Seite 62

Vermittlungs-Nr. | | | | | | **6046**

Preis pro Tag bis 1 Person	Zuschlag pro Tag pro Person	Ermäßig Vor-/Nach Saison	Strom kWh	Nebenkosten* Heizung pro Tag	End reinigung
14,50	7,—	10 %	—,25	—	20,—

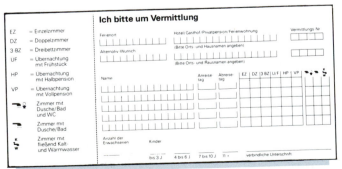

Ich bitte um Vermittlung

EZ = Einzelzimmer
DZ = Doppelzimmer
3-BZ = Dreibettzimmer
UF = Übernachtung mit Frühstück
HP = Übernachtung mit Halbpension
VP = Übernachtung mit Vollpension
🚿 Zimmer mit Dusche/Bad und WC
🚿 Zimmer mit Dusche/Bad
K W Zimmer mit fließend Kalt- und Warmwasser

Ferienort
Alternativ-Wunsch
Hotel/Gasthof/Privatpension/Ferienwohnung
(Bitte Orts- und Hausnamen angeben)
(Bitte Orts- und Hausnamen angeben)
Vermittlungs-Nr

Name | Anreise tag | Abreise tag | EZ | DZ | 3-BZ | U/F | HP | VP

Anzahl der Erwachsenen | Kinder
bis 3 J | 4 bis 6 J | 7 bis 10 J | 11 + | verbindliche Unterschrift

G 3b, 8, 13

48 AN DER GRENZE

An der Paß- und Zollkontrolle

Eine britische Familie hat gerade 14 Tage in Österreich verbracht und fährt nach Deutschland zurück, wo sie ein paar Tage bei deutschen Freunden verbringen werden, bevor sie schließlich nach England zurückfahren. Sie halten an der Paß- und Zollkontrolle, wo ein Zollbeamter sie anspricht . . .

1 Where is this customs post?
2 What must the family show apart from their passport?
3 What do they tell the customs official they have with them?

The following expressions will be useful for saying what you have got in certain cases, bags, etc., and what you haven't got:

Ich habe nichts zu verzollen. Ich habe kein(e)(n) . . .		
Im/In diesem	Koffer Rucksack	ist . . . sind . . . habe ich . . .
In der/In dieser Tasche		
In meiner Handtasche		

Was haben Sie in diesem Koffer?
Und in der Tasche?
Und im Rucksack?

Haben Sie etwas zu verzollen?

Suggest what this person might say to a customs official about these various items:

With a partner, play the parts of **A** a customs official **B** a tourist:

A asks **B** to identify his/her luggage.
B does so.
A asks if **B** has anything to declare.
B says what he/she has, and where.
A asks about anything **B** omits to mention.

128

Die Berliner Mauer

The night of the 9th/10th November 1989 was an historic date. It marked the opening up of the Berlin Wall, one of the most potent symbols of a divided Germany. West and East Berliners could suddenly walk freely through the checkpoints into each other's sectors:

Almost a year later, on October 3rd 1990, East and West Germany were formally reunited.

Keine Zukunft für Bonn: Berlin bald neue Hauptstadt?

Die Mauer ist weg!

Verkehrsoffener Sonntag: Hundertausende Ost-Shopper stürmen Geschäfte

Kilometerlange Trabi-Schlange am Checkpoint

Über 50 Millionen DM Begrüßungsgeld!

Trabi-Invasion: Staus auf deutschen Autobahnen

 31, 35, 38

Komm nach Ebensee!

Read these two brochure extracts about the youth hostel
in Ebensee in Austria, and answer the questions:

Villa am Südende des Traunsees

Bei der im Jahr 1977 zur Jugendherberge umgestalteten Villa
der Jahrhundertwende ist es gelungen, neben der modernen
Ausstattung die ursprüngliche, gemütliche Atmosphäre des alten
Hauses mit Kassettendecken, Parkettböden und
Schmiedeeisengittern zu erhalten.

Insgesamt können 72 Gäste in 1 2-Bettzimmer, 3 4-Bettzimmern,
2 6-Bettzimmern, 3 8-Bettzimmern, 1 10-Bettzimmer und
1 12-Bettzimmer aufgenommen werden.

Ein großer und ein kleiner Speisesaal, die gemütliche Eingangs-
halle, ein großer und ein kleiner Aufenthaltsraum
und die schallgedämmte „Grüne Höhle" (Diskothek) können
jederzeit benützt werden.

Tischtennis-Tisch, ein Fußballautomat, Fernsehapparat,
Gesellschaftsspiele, Dia- und OH-Projektor werden Ihnen gerne
zur Verfügung gestellt.

Die Jugendherberge liegt in nächster Nähe des Traunsees
in der ruhigen Ortschaft Rindbach, abseits des Verkehrs.
Das Ortszentrum von Ebensee und die Bahnstation sind
in 15 Gehminuten leicht erreichbar.

Das Haus befindet sich in einem großen Garten mit sehr viel
Spielfläche, „Abenteuerspielplatz", Bocciabahn
und Lagerfeuerplatz.

Im Ort wird weiters angeboten: Minigolf, Freischach,
Fahrradverleih, Traunseeschiffahrt (Mitte Mai bis Ende September,
Sonderfahrten jederzeit).

HERBERGSELTERN:

Helga und Siegfried Neuwirth

Wir werden als "Eltern" bezeichnet, was uns nicht älter machen soll
als wir eigentlich sind, nämlich 27 Jahre jung.

Es freut uns, wenn Sie die Jugendherberge EBENSEE besuchen und wir
die Möglichkeit haben, Sie zu verwöhnen.

Wir sind flexibel und lassen über Speiseplan und Essenszeit gerne
mit uns reden.

Selbstverständlich können wir Sie bezüglich Ihrer Ausflugsziele gut
und gerne beraten.

Kommen Sie mit Ihren Anliegen zu uns – wir freuen uns, Ihnen behilflich
sein zu dürfen!

FAHREN SIE NACH EBENSEE! SIE WERDEN ES IN VIELER HINSICHT GENIESSEN!!

1 a What do the wardens say about
themselves?

b What do they say about meals?

c What are they happy to give advice
about?

2 What information is given about . . .

a . . . sleeping accommodation?

b . . . other accommodation?

c . . . recreation facilities in the youth
hostel?

d . . . where it is situated?

e . . . facilities in the neighbourhood?

Du darfst … Du darfst nicht …

Here are the house rules of the *Jugendgästehaus* in Munich. Imagine you are staying here with a group of friends who don't understand German. In your own words, note down the rules for them:

Liebe Gäste!

Wir begrüßen Sie im Jugendgästehaus München und wünschen Ihnen einen angenehmen Aufenthalt. Um dies für alle zu ermöglichen, bitten wir um die Beachtung folgender Punkte:

1 Ab 22Uhr besteht Nachtruhe.
(Die Leiter sind verantwortlich dafür, daß Ihre Gruppen die Nachtruhe einhalten.)

2 Das Mitbringen von Getränken, besonders von alkoholischen, ist verboten.
(Es stehen Automaten im Keller zur Verfügung.)

3 Am Abreisetag die Zimmer bis 9Uhr frei machen: Bettwäsche abziehen und vor die Zimmertüre legen, Schlüsselkarten und Schlüssel gesammelt abgeben.

4 Die Zimmer werden während des Aufenthaltes nicht gereinigt. Volle Abfalleimer morgens vor die Zimmertüre stellen.

5 Unser Haus ist von 7Uhr morgens bis 1Uhr nachts durchge-hend geöffnet.

6 Essensbestellungen am Vortag an der Rezeption abgeben:
Essenszeiten: Frühstück: 7.30Uhr–9.00Uhr
Mittagessen: 12.00Uhr–13.00Uhr
Abendessen: 18.00Uhr–19.00Uhr

Im übrigen gelten die Bestimmungen des deutschen Jugendherbergswerkes.
Einen erlebnisreichen Besuch in München und angenehme Tage in unserem Haus wünscht Ihnen das JUGENDGÄSTEHAUS MÜNCHEN.

Wollen wir in der Stadt essen?

a Why are the times 12.00 and 23.00 mentioned?
b What is special about Sundays?
c And Mondays?
d Why are Christmas and New Year's Eve mentioned?
e What is being advertised at 17,80 DM?

f What can you get for 5,80 DM?
g What is announced about today?
h And tomorrow?
i What is said about eating here in the evening?
j How many of the dishes can you recognise?

Ganz im Gegenteil!

Kannst du 13 Paare bilden?

> weit   schnell   schön   hart   voll
> groß   billig   häßlich   flach
> altmodisch   klein   nah
> schlank   laut   teuer
> leer   hell   langsam   dunkel
> leise   hügelig   dick   nett
> unfreundlich   modern   weich

Bilde je einen Satz mit jedem der
Adjektive!

Unterschiede …

Finde zehn Unterschiede
zwischen diesen beiden
Bildern!

Kreuzworträtsel

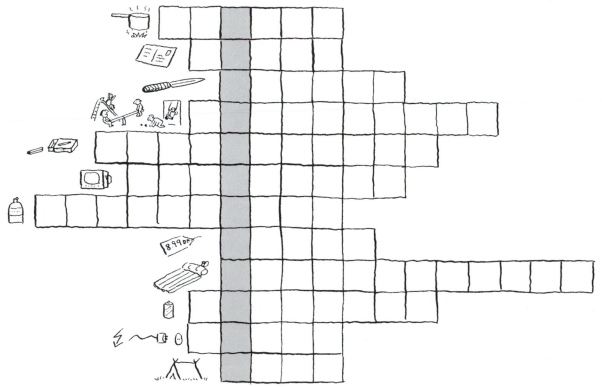

Zwei Interviews ...

1 Interview mit Herrn Fiedler, Campingplatzbesitzer ...

a How long has the campsite been in existence?
b What was it before?
c Give three reasons why Herr Fiedler decided to start it?
d How many other campsites are there in the area?
e What was this campsite like the first year?
f How has it changed since then?
g How many tents and caravans do they take now?
h What plans has Herr Fiedler got for the future?

2 Interview mit Frau Elly, Herbergsmutter ...

a How long has Frau Elly run this hostel?
b How long has she worked as a *Herbergsmutter*?
c How many youngsters have been through her hostels?
d What is her impression of young people today?
e How often do they have trouble?
f What is usually the cause?
g How do they deal with this sort of problem?
h What was the worst incident that ever happened?

Du machst ein Interview ...!

Imagine you were going to interview one of the following
people. Prepare ten questions you could put to him/her:
a a teacher
b a hotel owner
c a shopkeeper
d a farmer.

Was haben sie an?

Beschreibe diese vier
Personen. Was haben sie an?

> die Hose   das Hemd   der Rock   das Kleid   der Gürtel   die Jacke
> die Jeans (*pl.*)   der Pullover/Pulli   die Bluse   der Mantel   das T-Shirt
> die Schuhe (*pl.*)   die Stiefel (*pl.*)   die Krawatte   der Schlips   der Anzug
> die Handschuhe (*pl.*)   der Hut
>
> blau, braun, gelb, grau, grün, rosa, rot, schwarz, weiß

These expressions will be useful for buying clothes:

Ich möchte	einen . . ./eine . . ./ein . . . (ein Paar) . . . (*pl.*)	kaufen.
Blau oder grün, usw. Größe 36, usw.		
Das ist Sie sind	(mir) zu groß/klein/teuer/breit/eng/lang/kurz, usw.	
Haben Sie etwas Billigeres/Größeres/anderes, usw.?		
Das gefällt Sie gefallen	mir. Ich nehme	es sie

Was meinst du? . . . Paßt es mir?

Imagine your friends try a number of things on, and ask
what you think of them. Give your opinion:

A — Was hältst du von der Jacke?

B — Der Hut steht mir doch, oder?

C — Schöne Krawatte, findest du nicht?

D — Gefällt dir die Hose?

E — Wie steht mir der Pullover?

F — Wie findest du die Schuhe?

Wie bitte?

Here are a number of questions and answers which you might hear in a clothes shop. Can you match them up?

der Verkäufer

Kann ich Ihnen helfen?
Welche Farbe?
Welche Größe tragen Sie?
Gefällt es Ihnen?

Ja, sehr!
36.
Danke, ich schaue mich nur um.
Rot oder gelb.

der Kunde

die Kundin

Haben Sie es eine Nummer kleiner?
Was kostet das?
Kann ich es anprobieren?
Gibt's ein anderes Geschäft
   in der Nähe?

Ja, die Kabine dort ist frei.
Ja, neben der Post.
56 DM.
Leider nicht. Es ist das
   letzte, das wir haben!

die Verkäuferin

Was ich am liebsten trage

Listen to these four people speaking about the clothes they wear. In each case, note down as many details as you can.

Kann ich Ihnen helfen?

Listen to these three people buying various articles of clothing. In each case, jot down **a** the item(s) of clothing involved **b** the price(s) **c** whether he/she buys it/them **d** any other details.

Play the parts of **A** a shop assistant, **B** a customer:

A asks what **B** is looking for.
B answers (and gives any relevant details).
A shows what they have (*Wir haben dies ... und dies ..., usw.*).
B asks price of an item.
A answers.
B asks if they have something cheaper.
A answers.
B *either* takes the article *or* asks if there is another shop nearby.
A reacts/answers.

Jetzt bist du dran!

Answer this letter extract from a German friend:

gar nicht gut. Ich nehme an, Ihr müßt eine Schuluniform tragen. Wie sieht sie aus? Magst du die Uniform, oder bist du dagegen? Was für Kleidung trägst du am Wochenende?

 G **3b, 12, 28, 46**

50 GEHT DAS IN ORDNUNG?

Was kann ich für Sie tun?

1 a What has the man brought in for cleaning?
  b What has happened to it?
  c What choice does he have to make?
  d How much is it going to cost?
  e What is the man's name?
  f When will he be able to pick it up?

2 a What has the girl brought in for repair?
  b What has happened to it?
  c What does the shopkeeper say about repairing it?
  d When will it be ready and how much will it cost?
  e What is the girl asked to do?
  f What does the shopkeeper suggest she should do?

These expressions will be useful for getting things cleaned, repaired, etc.

Können Sie	diesen …	reparieren?	
Ich möchte	diese … dieses …	reparieren reinigen/bügeln	lassen.
Ich möchte diesen Film entwickeln lassen.			

Was sagst du?

What would you say in order to get these things cleaned, repaired, etc.?

der Mantel   der Rock   die Uhr   die Brille   der Fotoapparat / der Film   die Jacke

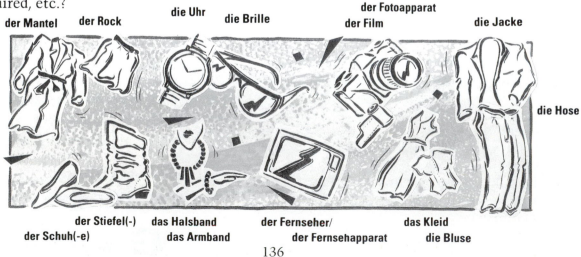

die Hose

der Stiefel(-)   das Halsband   der Fernseher/   das Kleid
der Schuh(-e)   das Armband   der Fernsehapparat   die Bluse

136

Wir machen's möglich!

Listen to these three dialogues in which people are asking to have things cleaned or mended. Copy out the grid opposite, and make a note of the information asked for:

	Artikel?	Reparatur? Reinigung?	Wie lange?	Preis?
1				
2				
3				

Welche Telefonnummer?

Imagine that you were staying in Celle, and you had trouble with **a** your washing machine **b** your television set and **c** your fridge. Here are some newspaper advertisements:

1 Which number(s) could you phone in each case?
2 Prepare what you would say for each of the three calls.

SCHNELL-DRUCK FOTOKOPIEN
KARL MONTAG, Nordwall 5 - ☎ 2 22 05

Reparatur-Schnelldienst FERNSEH-NEHRIG · 2 61 66

Technischer Kundendienst
für:
Home-Computer · Video · Rundfunk
Fernsehen und
Elektro-Haushaltsgeräte
Mauernstraße 50 ☎ (0 51 41) 67 67

Teppich- u. innerhalb von 3 Tagen
Polsterreinigung Wernerusstraße 35 Inh. H. Pries müller ☎ (0 51 41) 8 69 89

röbel Fernsehen weil der Service stimmt ☎ (0 51 41) 2 20 79/70

Anzeigenannahme Celler Markt 279-0

Wasch- und Kuhlgerate Reparaturen preiswert und schnell Nebel Bergstr 28 2 20 46

Holz Land Luhmann
Heinrich u. Henry Luhmann GmbH
Postfach 80 - Im Rolande 3
3100 Celle
Telefon (0 51 41) 39 81

Kommen Sie zu uns!

What four reasons does this dry cleaner's give for going to them?

Was verlangt man von „seiner" Reinigung?

1. Kleidung soll frisch und sauber sein
2. Garderobe soll exakt gebügelt sein
3. es soll schnell gehen (in 1 Std.)
4. es soll nicht so teuer sein

Geben Sie Ihre Kleidung in eine gute Reinigung!

M ...die Reinigung **v.Maltzahn** für gute Kleidung im Stundenservice

With a partner, play the parts of **A** a customer and **B** a shop assistant. Your dialogues should develop thus:

A explains what he/she would like cleaned/repaired.
B asks what is wrong with the article.
A gives details.

B says that they can do the job.
A asks how long it will take.
B replies.
A asks how much it will cost.
B replies and asks **A**'s name.
A replies.

G 18, 28

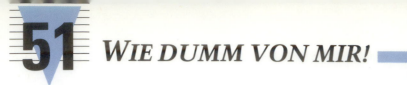

Im Fundbüro

 Diese beiden Leute haben etwas verloren. Sie gehen natürlich zuerst zum Fundbüro, um dort nachzufragen ...

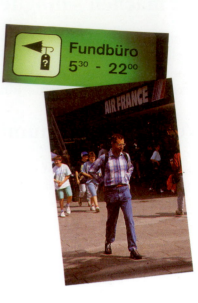

1 **a** What has the man lost?
  b How does he describe it?
  c Where and when does he think he lost it?
  d Does he get it back?
2 **a** What has the woman lost?
  b What description does she give of it?
  c When and where does she think she lost it?
  d Does she get it back?

The following expressions will be useful for talking about lost property:

Ich habe meinen/meine/mein ...	verloren.		
	im Hotel, usw.	gelassen. liegen lassen.	
Das	ist	ein ... er(+ *masc. noun*) eine ... e(+ *fem. noun*) ein ... es(+ *neut. noun*)	aus	Gold, Silber, Leder, Plastik, Wolle, usw.
	sind	... e(+ *pl. noun*)		

Was sagst du?

a How would you explain that you have lost these things?

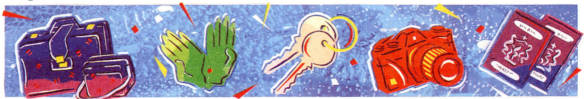

b How would you explain you had left them in these places?

Verloren!

a Read these 'small ads' for lost and found articles and jot down details of what has been lost.

b Choose one of the lost articles and prepare a phone call to the owner, saying that you have found the article in question, when and where you found it, and making arrangements to get it back to him/her.

> Goldene Frauenarmbanduhr. Marke „Aurum" am 28. 8. auf der Kirmes in Fichteldorf verloren. Erbstück, hohe Belohnung.
> Tel: 21 43 22

> **VERLOREN**
> Wer hat am Freitag früh am Marktplatz einen Schlüssel-bund mit VW-Autoschlüsseln gefunden?
> Tel: 34 78 90
>
> Grün-gelber Wellensittich (männl.) entflogen. Wiederbringer erhält Belohnung.
> Schmidt, Tel: 77 77 88
>
> Silberne Brosche, rechteckig mit bunten Steinchen am 27. 8. zwischen 17 und 18.30 Uhr Nähe Bahnhof verloren. Hohe Belohnung.
> Tel: 90 83 56

Wie sieht es aus? . . . Was ist drin? . . .

Here are three people describing things they have lost. Copy out the grid, and give the information asked for:

With a partner, play the parts of **A** a tourist and **B** a lost property office attendant. Base your dialogues on the objects opposite. The dialogues should develop as follows:

A says what has been lost.

B says they have lots of them and asks for a description (and details of contents).

A describes lost object.

B asks when and where it was lost.

A gives details.

B says whether they have it or not.

A thanks **B**, or arranges to come back/phone later.

Jetzt bist du dran!

Imagine you lost something in Germany. Complete this letter to your hotel enquiring whether they found it:

1 Von wann bis wann?
2 In welchem Zimmer?
3 Was?
4 er/sie/es
5 Beschreibung des Artikels.
6 ihn/sie/es
7 Wo genau?
8 Unterschrift.

> Sehr geehrte Damen und Herren,
>
> ich war . . .(**1**). . . in Ihrem Hotel, und zwar . . .(**2**). . . Nach meiner Rückkehr merkte ich, daß ich . . .(**3**). . . in Deutschland verloren hatte . . .(**4**). . . ist . . .(**5**). . . Haben Sie . . .(**6**). . . vielleicht gefunden? Es kann sein, daß ich . . .(**6**). . . bei Ihnen . . .(**7**). . . liegengelassen habe.
>
> Mit freundlichen Grüßen
> . . .(**8**). . .

G **14, 23, 44, 61**

Was ist los?

Andreas' Austauschpartner geht es nicht gut . . . .
1 **a** What does Andreas invite David to do?
  b What symptoms does David mention?
  c What does Andreas suggest is wrong with David?
  d What does Frau Meyer tell each of them to do?

Andreas' Mutter geht in die Apotheke, um Medikamente zu holen . . . . .
2 **a** Why does Frau Meyer mention the doctor?
  b What medicine does the chemist give her?
  c How long does he think David will be ill?
  d How much does the medicine cost?

These expressions will be useful for getting medicines and other items from a chemist's shop:

Haben Sie Ich hätte gern	etwas Tabletten, usw.	gegen	Kopfschmerzen, Halsschmerzen, usw.(?)
	Aspirintabletten(?) Hustensaft, usw.(?)		

In der Apotheke

Here are some items you may need to buy at the chemist:

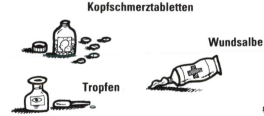

Kopfschmerztabletten

Hustensaft

Wundsalbe

Tropfen

Pflaster

Make up some short dialogues using the above items:
For example:
– Was darf es sein?/Was möchten Sie, bitte?
– Haben Sie bitte . . . ?
– Ja, wir haben diesen/diese/dieses hier.
– Was kostet das/kosten sie, bitte?
– ––.––. DM.
– Ich nehme ihn/sie/es.
– Sonst noch etwas?
– Nein danke, das ist alles./Ja, ich hätte gerne noch . . . , usw.

Wie oft muß ich das nehmen?

Listen to this chemist telling five people how much medicine they must take, and how often. Copy out the grid opposite and write in this information.

Wieviel? / Wie viele?	Wie oft?
1.	
2.	
3.	

Wie geht's?

Construct some short dialogues from the following:

Wie geht es	dir?
	deinem Vater?
	deiner Mutter?
	deinen Eltern?

Es geht	ihm	nicht gut.
	ihnen	
	mir	
	ihr	

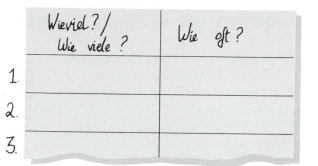

Das tut mir leid.

Was ist los mit	ihr?
	ihnen?
	dir?
	ihm?

Er hat	eine Grippe.
Ich habe	
Sie haben	
Sie hat	

Thomapyrin® Schmerztabletten

Dosierungsanleitung, Art der Anwendung
Soweit nicht anders verordnet, nehmen Erwachsene 1 – 2 Tabletten bis zu 3 × täglich, Kinder zwischen 6 und 14 Jahren ½ – 1 Tablette, über 14 Jahre Erwachsenendosis.

Was bedeutet das?

Imagine a friend has bought these medicines in Germany. What would he/she need to know if they were intended for **a** an adult **b** a 15-year-old teenager **c** an eight-year-old child and **d** a four-year-old child?

With a partner, play the parts of two people discussing the local chemist shops' duty rota. Base your dialogue on the newspaper extract opposite. It should develop thus: (Decide what day it is)

A says he/she has a headache and asks for something for it.

B says he/she hasn't anything, but he'll/she'll go to the chemist.

A says that it's too late; chemists are shut now.

B says which one is open (i.e. name, street, town).

A asks if it's far.

B says how far it is, and when he'll/she'll be back.

A thanks **B** and says it's very kind of him/her.

Bronchicum® Tropfen

Dosierungsanleitung

Soweit nicht anders verordnet, 3 – 5 mal täglich Erwachsene und Jugendliche: 20 – 30 Tropfen, Schulkinder (6 – 14 Jahre): 20 Tropfen, Kinder je nach Alter: bis zu 15 Tropfen auf Zucker oder in heißem Tee einnehmen.

Apotheken-Notdienst:
Donnerstag, Marien-Apotheke, Würselen, Kaiserstr. 28, Tel. 3172. **Freitag,** Barbarossa-Apotheke, Broichweiden, Hauptstr. 21, Tel. 73976. **Samstag,** Burg-Apotheke, Bardenberg, Dorfstr. 18, Tel. 15283. **Sonntag,** Linden-Apotheke, Broichweiden, Lindener Str. 184/188, Tel. 72426. **Montag,** Schwanen-Apotheke, Würselen, Kaiserstr. 110, Tel. 2803. **Dienstag,** Engel-Apotheke, Würselen, Kaiserstr. 127, Tel. 2435. **Mittwoch,** Salmanus-Apotheke, Würselen, Aachener Str. 13, Tel. 5645.

53 *ES GEHT MIR GAR NICHT GUT*

Ich hätte gerne einen Termin ...

ein Krankenschein

1 Frau Müller ruft den Arzt an. Die Sprechstundenhilfe antwortet ... Was stimmt? Was stimmt nicht?

a Es ist Freitag.

b Frau Müller telefoniert mit dem Augenarzt.

c Sie möchte einen Termin für ihre Tochter.

d Ihre Anschrift ist Birkenstraße 32.

e Ihrem englischen Gast geht es gar nicht gut.

f Der Arzt kann sie heute noch sehen.

g Sie soll um 17 Uhr in die Sprechstunde kommen.

h Sie hat keinen Krankenschein.

2 Am späten Nachmittag kommt sie mit ihrem englischen Gast in der Klinik an.

a What is the first thing the doctor asks Samantha?

b What is her reply?

c What are her symptoms?

d What treatment does the doctor prescribe?

e How soon should she start to feel better?

ein Rezept vom Arzt

The following expressions will be useful for asking and talking about aches and pains:

Was ist los mit dir/Ihnen?	Ich habe ... schmerzen.
Was fehlt dir/Ihnen?	Mein(e) ... tut mir weh.
Wo hast du/haben Sie Schmerzen?	Meine ... (*pl.*) ... tun mir weh.
Wo tut es weh?	

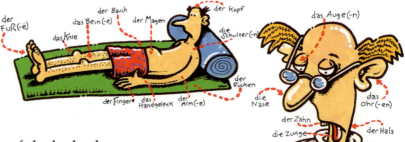

Autsch!

Using the phrases and parts of the body above, make up as many sentences as you can, saying where you have a pain.

142

Was will sie wissen?

Listen to this doctor asking a patient a series of six questions. Copy out the grid, and give the information asked for.
a What is her final diagnosis?
b How does she deal with the problem?

Ärztin fragt...	Patient antwortet...
1	
2	
3	

Symptome . . .

Here are some symptoms which a German guest might complain of. How many can you recognise?

A Ich habe Fieber . . . ich zittere am ganzen Körper . . . mein Hals ist ganz rot . . . ich kann nicht schlafen . . .

B Mir ist schwindlig . . . ich fühle mich schwach und müde . . . ich kann kaum gehen . . .

C Mir ist übel . . . ich habe Durchfall . . . ich habe den Appetit verloren . . .

How do you think you might react in each case?

With a partner, play the parts of **A** a British tourist and **B** a dentist's receptionist.

A phones to ask for an appointment and explains that he/she is a British tourist.
B says that's all right and offers a date and time.
A Asks if it can be sooner, says he/she has bad toothache.
B offers earlier time.
A accepts it and thanks him/her.
B asks for **A**'s name and address.
A gives details.

Jetzt bist du dran!

Imagine you have been invited to go out with a German friend (to a disco, party, cinema, concert, etc.), but you are ill. Write your friend a note explaining the situation:

> Liebe(r) . . . (**1**) . . . ,
>
> leider kann ich . . . (**2**) . . . nicht . . . (**3**) . . . mitkommen.
> Ich . . . (**4**) . . . , . . . (**4**) . . . und . . . (**4**) . . . .
> Ich hoffe, Dich . . . (**5**) . . . . . . (**6**) . . . zu sehen.
>   Es tut mir wirklich leid.
>   . . . (**7**) . . .

Notfalldienste!

Here are some emergency services. Can you explain to a fellow tourist:
a which service is which
b when they are available.

Not-Ärzte

Krankentransport/Rettungsdienst: DRK, Telefon 60 34 (Tag und Nacht); ASB, Telefon 2 30 01 (6.30 bis 23 Uhr) und Malteser, Telefon 2 53 00 (Montag bis Sonnabend, 7 bis 20 Uhr).
Ärztlicher Notdienst, nur bei Unerreichbarkeit des behandelnden Arztes, am **Sonnabend/Sonntag** sowie am **Mittwoch,** 15-23 Uhr: Zu erfragen bei der JUH, Telefon 4 30 15.
Zahnärztlicher Notfalldienst, nur bei Unerreichbarkeit des behandelnden Zahnarztes, am **Sonnabend/Sonntag:** ZA Werner, Johann-Strauß-Weg 2, Telefon 5 34 20. (Sprechstunde jeweils von 10 bis 12 Uhr).

1 Name	**5** Wann?
2 Wann?	**6** Wo?
3 Wohin?	**7** Unterschrift
4 Was ist los?	

  12, 38

54 PANNENHILFE

Eine Panne

Herr Rüdiger hat eine Panne. Er ruft eine Reparaturwerkstatt an ...

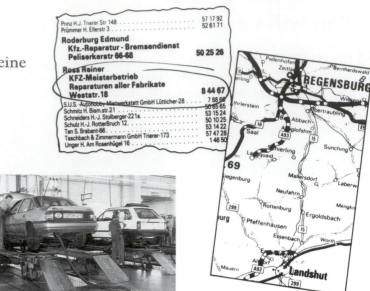

Stimmt das, oder stimmt es nicht?

a Herr Rüdiger telefoniert mit dem Krankenhaus.
b Er braucht keine Hilfe.
c Er ist zwischen Neufahrn und Ergoldsbach.
d Er fährt nach Regensburg.
e Er weiß selbst, was los ist.
f Er hat kein deutsches Auto.
g Sein Auto ist weiß.
h Ein Mechaniker kommt bald.

The following expressions will be useful if you need to phone for help with a breakdown:

Ich habe eine Panne.		
Ich bin	auf der Autobahn .../Bundesstraße ... zwischen *X* und *Y*. ungefähr ... Kilometer von *X* entfernt in Richtung *Y*. gerade durch *X* gefahren in Richtung *Y*.	
Ich habe einen	blauen, schwarzen, usw.	Metro, Volvo, Peugeot, usw.

Was würdest du sagen?

Prepare telephone calls to a breakdown service (*Pannenhilfe*) for the following situations:

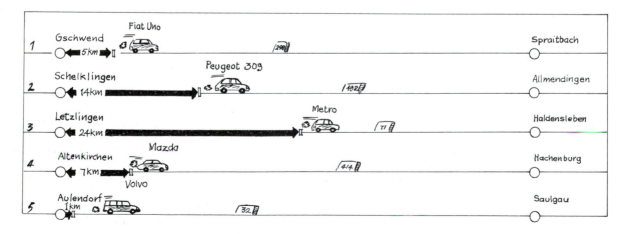

144

Unser Auto

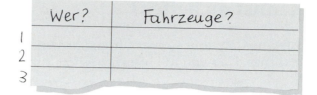

Wer?	Fahrzeuge?
1	
2	
3	

Listen to these three people talking about vehicles they and members of their family own. Copy out the grid opposite and supply the information asked for:

Gestohlen!

Imagine your car has been stolen in Germany. Answer these questions about it:

Was passiert?

Listen to these two dialogues which take place in a garage. Jot down the gist of what is going on.

> Wo hatten Sie geparkt? Wann? Was für ein Auto ist es . . . ?
> Marke, Modell, usw.? Und die Farbe? Welches Kennzeichen hat es?

Schwierigkeiten mit dem Auto

However carefully you drive, things sometimes go wrong. You have to relate the problem to a mechanic over the phone. Which phrase would you use in each case?

> der Keilriemen ist zerissen.
>
> mein Tank ist leer.
>
> der Motor springt nicht an.
>
> mein Reifen ist geplatzt.
>
> der Auspuff ist kaputt.
>
> ich habe kein Benzin mehr.
>
> der Kühler überhitzt.

1   **2**   **3**   **4**   **5**

   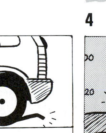 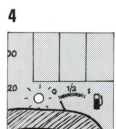 

With a partner, play the parts of **A** a motorist and **B** a garage owner:

A says he/she has broken down.
B asks what is wrong.
A gives details (or says he/she doesn't know).
B asks for details of the car.

A answers.
B asks where A is.
A gives details.
B says when he/she will be there.

Jetzt bist du dran!

Answer this letter extract from a German penfriend:

> Meine Eltern kaufen bald ein neues Auto. Sie kaufen wohl einen Volkswagen Passat, wie das letzte Mal. Was hältst Du von deutschen Autos? Sind sie beliebt in Großbritannien?
> Was für ein Auto habt Ihr?
> Welches Auto möchtest Du selbst einmal haben!

 **G**   44, 59

Kannst du helfen?

Imagine that your German friend has mislaid a number of things. Can you tell him/her where they are?

> Weißt du, wo meine Schultasche ist?
> Ich kann den Brief von meinen Großeltern nicht finden!
> Hast du meine Jacke gesehen?
> Ich habe meinen Tennisschläger verloren!
> Ach! Wo ist denn mein Fotoapparat?
> Wer hat meinen Haartrockner geklaut!
> Ich suche meine Tennisschuhe ... Hast du sie gesehen?
> Hast du einen Zwanzigmarkschein gesehen ... Ich habe einen verloren!

Wann sagt (oder ruft!) man das?

Here are some remarks, phrases, exclamations, etc.
Which ones apply to the situations below? When would you use the others?

Paß auf! Ach, schade! Gratuliere! Du Arme(r)!
Guten Appetit! Guten Morgen! Gute Nacht! Viel Spaß!
Vorsicht! Mahlzeit! Prima! Keine Ursache! Guten Tag!
Gern geschehen! Freut mich! Verzeihung! Schlaf gut!
Nichts zu danken! Entschuldigung! Gute Reise! Bitte schön!
Guten Abend! Toll! Gute Fahrt! Achtung! Gute Besserung!

146

Was soll das alles?

Here is a chance for you to do some detective work!
These two forms and the accompanying card are clues to
an incident. Can you work out the details of what has
happened?

Verlustanzeige

F.-Gruppe

3. August
Datum des Verlustes

Name und Anschrift des Verlierers: Schmidt Peter

Ort und Zeit des Verlustes: Stadtzentrum (Nähe Bhf) 10.00 vormittags.

Beschreibung und Wert des verlorenen Gegenstandes
Dunkelbraune Brieftasche (Leder) mit ung. DM 300, Personalausweis, Führerschein, ADAC Mitgliedskarte, Familienfotos, versch. Kreditkarten, Telefonkarte.

Wird ein höherer als der gesetzliche Finderlohn ausgesetzt? nein — ja; 100 DM

München, den 3. August   Polizeidienststelle
Dienststelle

P. Schmidt   MeyR
Unterschrift des Anzeigenden   Name und Unterschrift des Aufnehmenden

Form 125 Stk. P

Landeshauptstadt München
Fundanzeige 1

Name und Anschrift des Finders: Jutta Finck, Mühlstr. 29, Köln   Nr.   Gruppe   Jahr

Ort der Auffindung: Bahnhofstraße   Datum des Fundes 3/8

Uhrzeit

Lederne Brieftasche
Inhalt: DM 290, Ausweis, Führerschein, ADAC-Karte, Kreditkarten, Telefonkarte, Fotos.

...dgegenstand wird — eingeliefert — vom Finder verwahrt. Wird Finderlohn beansprucht?   Ja — Nein
...ch der Finder das Recht zum Erwerb des Eigentums an der Sache vor?   Ja — Nein
...ushändigung des Fundgegenstandes an den Empfangsberechtigten nach den Bestimmungen des BGB bin
...standen.
...ge die Richtigkeit obiger Angaben und den Empfang einer Bescheinigung über die Ablieferung.

...ta Finck   Anzeige: aufgenommen: Dst.   MeyR   Tgb.-Nr.
Name und Unter...

Landeshauptstadt München
Kreisverwaltungsreferat   Datum des Poststempels
HA I/114 — Fundsachen
Tel. 233 68 42 83 Zi.Nr. 8

Betreff: Fundsache Nr. 382

Vorstehend bezeichnete Sache wurde gefunden und bei uns abgegeben.

Wir haben Sie als Verlierer ermittelt.

Unter Vorlage dieser Karte und eines Personalausweises können Sie, bzw. ein schriftlich
Bevollmächtigter, die Fundsache hier gegen Erstattung unserer Kosten in Empfang nehmen.

Mit freundlichen Grüßen
Im Auftrag   Dienststunden: Mo mit Fr 8.30—12 Uhr
Di 14.00—17.30 Uhr

Form 262 Stk 12.86

Imagine you were either Peter or Jutta. Explain to a friend
(in German) what happened on the day in question.

Imagine any dialogues which may have taken place in
the course of the incident.

Rauchen verboten!

This magazine article gives some examples of how seriously the German Federal Government takes the problem of smoking. How many details of the proposed measures can you understand?

1 Gesund ohne Nikotin
Der Maßnahmenkatalog der Regierung sieht auch ein grundsätzliches Rauchverbot in Krankenhäusern vor. Patienten und Besucher beschweren sich oft über schlechte Luft in den Fluren, Aufenthaltsräumen und Wartezimmern der Kliniken

2 Stopp für Werbung
Besonders umstritten sind die Süssmuth-Pläne, die flotte Werbung für Zigaretten einzuschränken oder ganz zu verbieten. Industrie und Handel drohen mit dem Gang zum Richter. Schon jetzt gibt es Einschränkungen, ist beispielsweise TV-Werbung verboten

3 Stadien ohne Mief
Die Bonner Pläne sehen auch vor, daß in den Fußballstadien und anderen Sportstätten nicht mehr geraucht werden darf. Bei einigen Bundesligaspielen gab es schon erregte Sprechchöre gegen Kettenraucher, die nur so gegen ihre Spannung ankämpfen können

4 Büros ohne Dunst
Hier vor allem möchte die Gesundheitsministerin ein Rauchverbot durchsetzen. Nicht nur in Behörden und in anderen öffentlichen Gebäuden, sondern auch in Privatfirmen. Doch dagegen ist der Arbeitsminister

5 Aus für Automaten
Bonn plant den Abbau mehrerer hunderttausend Zigarettenautomaten in „Außenbereichen" und in einer „Bannmeile" um Schulen und Jugendzentren. Abseits der Innenstädte, Einkaufszentren, Hotels und Kneipen wird der Weg zum Automaten „meilenweit"

6 Essen ohne Raucher
Nach den Plänen von Rita Süssmuth sollen in allen Restaurants von einer bestimmten Größe an Tische für Nichtraucher reserviert werden. Schon jetzt kommt es in Speiserestaurants immer häufiger zu hitzigen Debatten über störenden Qualm

7 Regale ohne Zigaretten
Der schnelle Griff in die Zigarettenregale der Supermärkte wird bald ins Leere gehen. Bonn möchte die Selbstbedienung mit Zigaretten in den Kaufhäusern und Supermärkten stoppen und nur noch einen Verkauf über den Tabakfachhandel zulassen

8 Züge für Nichtraucher
In den Zügen der Bundesbahn soll die Zahl der Raucherabteile weiter verringert werden. Alle anderen öffentlichen Verkehrsmittel werden völlig raucherfrei, ebenso Bahnhöfe und Wartesäle. Auch die Deutsche Lufthansa soll das Rauchen ganz verbieten

9 Sünder müssen zahlen
Schon heute werden von jeder Zigarette, die im Schnitt 20 Pfennig kostet, knapp 12 Pfennig von der Steuer kassiert. Bonn will die Tabaksteuer noch einmal erhöhen, um den Rauchern den Geschmack zu nehmen. Dann wird jede Packung 20 Pfennig teurer

10 Rathäuser ohne Qualm
Alle öffentlichen Gebäude, Rathäuser, Behörden, Schulen, Universitäten und Arbeitsämter werden zu Nichtraucherzonen. Einige Landesbehörden verbieten schon heute das Rauchen in den Amtsstuben. Bürger sollen nicht mehr über verräucherte Büros klagen

Der letzte Schrei!!

Wann waren diese Kleider Mode?
Was hältst du davon?
Was ist im Moment groß in Mode?
Interessierst du dich für Mode?

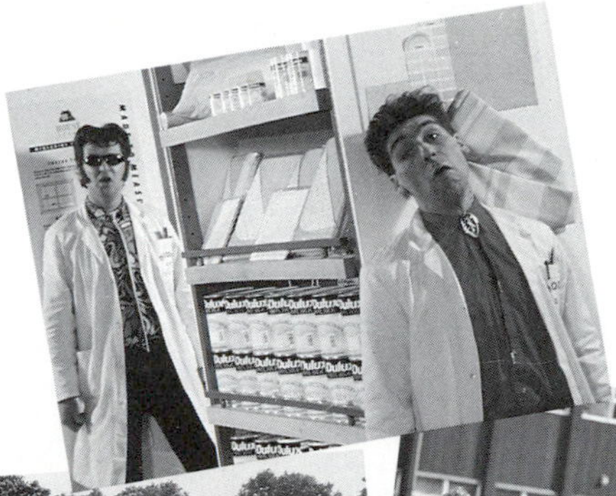

Na so was!

Here are two accounts of things that happened to two
(German) families while on holiday in Great Britain.
Listen to them and answer the questions in English:

1 Familie Hahn
a When did the incident happen?
b Who else did Herr and Frau Hahn have
  with them?
c Where were they staying, and how long
  for?
d How long had they been there when the
  incident happened?
e Give as many details as you can about
  what happened.
f How did they feel about it?

2 Herr und Frau Krupp
a When did the incident happen?
b Where were they at the time?
c How long had they been in England
  when it happened?
d What was their problem, and what made
  it worse?
e Who turned up on the scene?
f What did they fear might happen, and
  what actually did?

149

55 EIN UNFALL!

So ein Pech!

Ein Deutscher schreibt an seine britische Brieffreundin . . .

Ich kann diesmal nicht mit der Hand schrei ben. Ich tipppe den Brie
mit der linken Hand, denn ich habe mir den rechten Arm bei einem
Autounfall gebrochen. Err ist in einem Gipsverband und ich muß ihn
der Schlinge trgaen. Der unfall passierte vorgestern. Es regnete,
und die Straße war naß. Ein anderer Autofahrer war schuld an dem
Unflla. Er fuhr zu schnelll in eine Kurve, geriet ins Schleudern und
stieß frontal mit mir zusammen. Der andere war nicht verlezt - ihc
dagegen hatte Schnittwunden im Gesicht, habe einen gebrochnenen Arm
leide immer noch unter dem Schock. Beide Autos sind total kaputt!
Ein Augenzeuge hat mit dem Kran kenhaus telefoniert und man brachte
mich im Krankenwagen dorthin. Ich konnte aber nach ein paar Stunden
nach Hause ggehen..

a Why has he had to type the letter with his left hand? Can you find ten mistakes?

b What details are given about the accident?

c Who was apparently responsible?

d What injuries did those involved receive?

e What happened after the accident?

The following expressions will be useful for talking about accidents:

Was ist passiert? Wie ist es passiert?		
Ich war gerade dabei, das Auto zu waschen, usw.		
Ich bin (aus)gerutscht/(hin)gefallen.		
Ich habe mir	den Arm die Hand das Bein, usw.	verletzt. gebrochen. verbrannt. zerquetscht, usw.
Ich habe mich in den Finger geschnitten.		

Wie ist es passiert?

Here are a number of things you might be doing when an accident occurred. Put them together with one of the above phrases to describe an accident.

For example: Ich war gerade dabei, das Auto zu waschen und (ich) bin ausgerutscht und hingefallen.

im Garten arbeiten   das Auto reparieren   die Fenster putzen   eine Dose aufmachen

die Straße überqueren   ein Modell basteln   Kaffee kochen   eislaufen

Ein Verkehrsunfall!

Listen to these six people speaking about traffic accidents. In each case, find out what vehicles were involved, and what exactly caused the accident.

Du Arme(r)!

Listen to these six people speaking about accidents they have had recently. Copy out the grid opposite and give the details asked for:

	Wann?	Was ist passiert?
1		
2		
3		

Verstehst du das?

Here are three newspaper cuttings about accidents. Give as many details as you can about **a** the people involved **b** the accidents **c** the injuries and **d** any further details.

Play the parts of two German friends, one of whom has had an accident. **A** is phoning **B**:

A asks to speak to **B**.
B comes to phone.
A asks **B** how he/she is.
B answers.
A asks what happened, when and how.
B explains.
A asks if **B** is in much pain (*Tut's sehr weh?*).
B answers.
A and **B** agree a time for **A** to visit.

Jetzt bist du dran!

Write a letter to a German penfriend, telling him/her of an accident which a member of your family, a neighbour or a friend had recently. Include the following details:

a when it happened
b where he/she was
c what he/she was doing
d what happened to him/her
e whose fault it was
f any further details/developments.

Tanz auf dem Dach endete im Krankenhaus

Bargteheide. Mit schweren inneren Verletzungen mußte ein 17jähriger Schüler aus Bargteheide im Kreis Stormarn seinen nächtlichen Übermut beim Tanz auf dem Dach eines Supermarktes in Bargteheide bezahlen.

Wie die Polizei mitteilte, hatten zwei 17jährige Gymnasiasten nach einem feucht-fröhlichen Abend die Idee, das Dach eines Supermarktes zur Tanzfläche umzufunktionieren. Über die Feuerleiter kletterten die beiden auf das Dach und stellten ihren mitgebrachten Radiorecorder ein. Dabei geriet einer der beiden zu nahe an ein Dachfenster aus Flexiglas heran und stürzte sechs Meter tief auf den Betonboden des Marktes. Sein Freund alarmierte die Polizei, die erst eine Tür aufbrechen mußte, um dem Schwerverletzten zu Hilfe zu kommen.

Motorradfahrer tödlich verunglückt

Bad Bramstedt. Auf der Kreisstraße 76 bei Bad Bramstedt ist der 20jährige Sven S. bei einem Verkehrsunfall getötet worden. Nach Angaben der Polizei in Kiel kam er mit seinem Motorrad in einer leichten Linkskurve von der Fahrbahn ab und prallte frontal gegen einen Baum am Straßenrand. Er war sofort tot. Der 20jährige besaß keinen Führerschein.

Mann sprang nach Unfall in die Alster

Hamburg. Nach einem Verkehrsunfall in Hamburg sprang ein 34jähriger Autofahrer von der etwa acht Meter hohen Winterhuder Brücke in die Alster. Wie die Polizei gestern mitteilte, wurde der Mann, der keinen Führerschein besaß und unter Alkoholeinfluß stand, von Passanten aus dem eiskalten Wasser gezogen und mit einer Unterkühlung in eine Klinik gebracht.

 10, 11, 14, 15

56 WAS SOLLEN WIR JETZT TUN?

Was nun?

Tut mir leid. Wir haben keine Zimmer mehr frei!

1

Ich hätte gern ein Einzelzimmer, bitte.

Ich bedaure. Der Samstag Abend ist völlig ausgebucht!

Ich hätte gern zwei Karten für Samstag, den 12. März, . . . für die Abendvorstellung.

3

2

Können wir hineingehen?

Nein, das Museum ist zur Zeit leider geschlossen.

Wann fährt der nächste Bus nach Gummersbach, bitte?

Heute Abend fährt leider kein Bus mehr. Der letzte ist vor einer halben Stunde abgefahren!

4

Wie würdest du in diesen Situationen reagieren? Was würdest du sagen oder tun?

These expressions will be useful for finding alternative services:

Gibt's (hier in der Nähe)	einen anderen . . .	?
Können Sie	eine andere . . . ein anderes . . .	empfehlen?

These expressions will be useful for offering a choice, and giving your preference:

Wir könn(t)en entweder . . . oder . . .		Ich habe keine Lust zu . . .		
— en wir . . . , oder — en wir . . . ?		Ich möchte lieber . . .		
Hast du Lust zu . . . Möchtest du	oder möchtest du lieber . . . ?	Ich	glaube, denke,	wir sollten . . .
		Das ist mir (wirklich) egal.		

1   **2**   **3**

Was meinst du?

Imagine situations in which you were faced with these choices. Construct dialogues in which **a** the choices are offered **b** a decision is made and **c** reasons are given.

Was sagst du?

Here are a number of situations in which you might find yourself in Germany. Listen to what the various people say and:

a work out what they are saying/asking
b decide how to react to what you are told/asked.

1	You are alone in your exchange partner's house when someone phones . . .	
2	You phone your correspondent's father (Herr Schmidt) at his office about a personal matter . . .	
3	You have brought your car to a small garage with an engine fault . . .	
4	You find your family's reserved seats in the train have been taken by a German family . . .	
5	You arrive at a campsite and ask for a pitch for your tent . . .	
6	You have left a piece of hand luggage in a train and report this to an official . . .	

Play the parts of **A** a German host and **B** a British guest. Perform three dialogues in which you want to do different things. Try to persuade one another to do what *you* want, and give your reasons:

1 **A** wants to watch a film on television. It's a spy film (your favourite type of film); favourite actor in it. It's a very good film!

   B would like to go out this evening. Television is boring; doesn't like spy films; can't they go into town?

2 **A** would like to go swimming; the 'gang' will all be there. They'll be having a barbecue later in the evening.

   B doesn't fancy swimming in lake; weather is too cold and the water will be freezing! Would prefer to go to the cinema.

3 **A** suggests going into town; good museum and art gallery; has been before and found it very interesting.

   B would like to go into town; but not to a museum or art gallery! Has shopping to do; presents and souvenirs to buy.

  8, 19, 21, 44

WAS HAST DU VOR?

Schönes Wochenende!

Zwei Schüler kommen am Freitag nachmittag aus der Schule. Sie besprechen, was sie am Wochenende machen werden . . .

a What are the youngsters talking about as they come out of school?

b What opinions do they express?

c What does the boy say he has to do over the weekend?

d What is the girl's reaction?

e What does he say in answer to this?

f What has she got planned for Saturday?

g What does she invite him to do, and what is his reply?

h What has she got planned for Sunday?

The following expressions will be useful for talking about what you are going to do/be doing:

Am Wochenende Am Samstag vormittag/Sonntag nachmittag, usw. In den Sommer-/Weihnachts-/Osterferien Zu Weihnachten/Ostern/Pfingsten	–e ich . . . . –en wir . . .	
	werde ich . . . werden wir . . .	(+ *infinitive*).

Was hast du vor?

Was, glaubst du, sagen diese Leute?

A

Vormittag:

Nachmittag:

Abend:

B

Vormittag:

Nachmittag:

Abend:

C

Vormittag:

Nachmittag:

Abend:

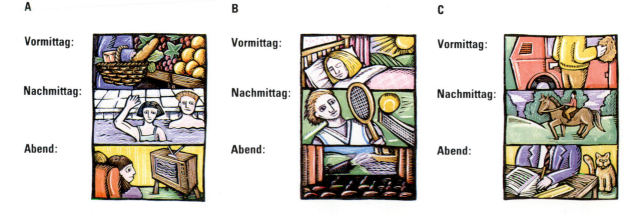

Ich freue mich drauf!

This German host family is talking about what to do with an English guest over the next few days. Copy out the diary page opposite, listen to what they say, and jot down the information you hear in the correct 'slot'. (Today is Sunday).

Which day is still free?

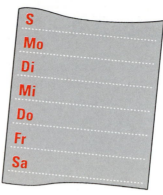

S
Mo
Di
Mi
Do
Fr
Sa

Wen laden wir ein?

Listen to these Germans discussing whom to invite to a party. Copy out the grid opposite and jot down the information asked for:

Name	✓x	Grund
Jürgen		
Anja		
Abdul		
Aurelia		
Ullrich		
Kersten		

Das soll wohl ein Witz sein!

Erkläre, was in diesen zwei Bildern geschieht! Welche Situation hältst du für realistischer? Begründe deine Meinung!

Imagine your class is in Germany. Play the parts of two Germans deciding which members of your class to invite to a party. Your dialogue should develop thus:

A asks whom they are going to invite (*Wen laden wir zur Party ein?*).
B suggests people (*Den Peter/die Debbie vielleicht?*).
A reacts and gives reason(s).
A and **B** suggest other people and react.

Jetzt bist du dran!

Answer this letter extract from a German penfriend:

Bald sind Osterferien*. Normalerweise verreisen wir zu dieser Jahreszeit, aber dieses Jahr bleiben wir in Deppenhausen. Und Ihr? Was habt Ihr vor?

*(*bzw.* Sommerferien, Weihnachtsferien).

 10, 17, 29, 62

Pläne für die Zukunft

Listen to the full text of what these four Germans are saying about their future plans. In each case, jot down as many details as you can:

> Ich werde einen gutbezahlten Job finden ... eine Wohnung mieten ... ein Auto kaufen ... selbständig sein ...

> Ich möchte jung heiraten und Kinder haben ... Ich mag Kinder sehr und möchte meine eigenen haben ... drei oder vier ...

> Ich hoffe, studieren zu können ... Ich möchte auf die Uni gehen ... Ich möchte gern Tierarzt werden ..., Das wäre mein Traumberuf ...

> Ich möchte mit sechzehn die Schule verlassen. Bevor ich zu arbeiten anfange, möchte ich durch ganz Europa trampen ...

 Here are some more expressions which will help you explain what you are planning to do/ thinking of doing:

Ich hoffe, (einmal) Ich habe vor, Ich denke daran,	..... zu (+ *infinitive*).

Aber wann ...?

Using the above structures (and any other suitable ones you know), work out some things that this 14-year-old English boy might be saying about his future plans. You need not restrict yourself to the items given:

> Nächstes Jahr ...
> In zwei Jahren ...
> Mit 17/18 ....
> Wenn ich 19/20 bin ...

> einen Job bekommen.
> in die Oberstufe/Kollegstufe gehen.
> die Schule verlassen.
> das Elternhaus verlassen.
> heiraten.
> den Motorrad-/Autoführerschein machen.
> ein Motorrad/ein Auto kaufen.
> auf die Uni gehen.
> eine Wohnung/ein Haus mieten.
> meine GCSE/A-Level Prüfungen machen.

Which ones apply to you?

Was möchtest du später mal werden?

Listen to these four Germans talking about their career plans. Copy out the grid opposite and give the information asked for:

	Schultyp	Pläne
1		
2		

Horoskop

Ihr HOROSKOP
für heute

WIDDER
geb. 21. 3. bis 20. 4.
Am Wochenende wartet eine Überraschung auf Sie!

STIER
geb. 21.4. bis 20.5.
Eine Verbesserung Ihrer momentanen Lage ist für den Wochenanfang zu erwarten.

ZWILLINGE
geb. 21.5 bis 21.6.
In einer partnerschaftlichen Beziehung könnten sich Wolken aufbauen.

KREBS
geb. 22. 6. bis 22. 7.
Nach einem Gespräch mit einem Vorgesetzten (Lehrer?) könnte sich die Situation dramatisch verändern.

LÖWE
geb. 23. 7. bis 23. 8.
Ein unerwarteter Brief am Freitag verändert Ihr leben.

JUNGFRAU
geb. 24. 8. bis 23. 9.
Eine unangenehme Entwicklung läßt die ersten Tage der nächsten Woche in einem trüben Licht erscheinen.

WAAGE
geb. 24. 9. bis 23. 10.
Am Samstag bleiben Sie besser zu Hause!

SKORPION
geb. 24. 10. bis 22. 11.
Glück in der Liebe ab nächster Woche!

SCHÜTZE
geb. 23. 11. bis 21. 12.
Ein unerwarteter Besuch steht am Sonntag vor der Tür.

STEINBOCK
geb. 22. 12. bis 20. 1.
Superwoche für eine neue Partnerschaft.

WASSERMANN
geb. 21. 1. bis 18. 2.
Chancen sind vorhanden. Die Frage ist, ob Sie sie zu nützen verstehen!

FISCHE
geb. 19. 2. bis 20. 3.
Sie schaden sich nur selbst, wenn Sie das Angebot eines Freundes (bez. einer Freundin) ablehnen!

a Work out what your horoscope is predicting for you.
b Discuss with the rest of the class (in German) a week later whether any of the predictions came true.

With a partner, practise asking one another whether you intend to do certain things in the future. Answer *Ja/Nein* but add something to strengthen it (*Ja, bestimmt/Ja, freilich/Ja, vielleicht/Nein, bestimmt nicht/Nein, ich glaube nicht/Nein . . . nie!*, usw.), and then add a reason if you can.

For example: *Wirst du A-Level machen?*
                Nein, ich glaube nicht.
                Warum nicht?
                Ich möchte die Schule verlassen, usw.

Jetzt bist du dran!

Answer this letter extract from a German penfriend:

nächstes Jahr machen. Weißt Du, was Du nach der Prüfung machen wirst? Glaubst Du, Du wirst die Schule verlassen? Was möchtest Du einmal werden?

G **17, 19, 32**

Da stimmt was nicht!

Georg und Ute sind im Restaurant. Es gibt einige
Probleme . . .

a What two things in the order did the
waiter get wrong?

b What two things were wrong with Ute's
food?

c What two things were wrong with the
bill?

The following expressions will be useful for complaining
about items or services:

Dieser/Diese/Dieses . . .	ist	kalt/nicht frisch/zu fett/schmutzig/kaputt, usw.
	funktioniert nicht (richtig).	
Ich möchte Bringen Sie mir	einen anderen/eine andere/ein anderes . . ., bitte!	
Ich bekomme kein(e)(n) . . ., sondern . . . Ich habe kein(e)(n) . . . bestellt/reserviert/gehabt, sondern . . .		

Herr Ober!

What could be/is wrong with each of these items? How
would you complain and get a replacement?

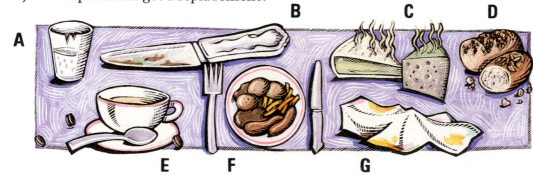

Kaputt!

How would you explain that these things are broken/ don't work properly?

A **B** **C**

12345678

AUßER BETRIEB

Ich möchte reklamieren ...

Here are four people, each making a complaint about something. Copy out the grid opposite, and give the information asked for:

Was ist nicht in Ordnung?	Was passiert?
1	
2	

With a partner, play the parts of **A** a customer and **B** a waiter/waitress. The illustrations indicate what you and your friends actually had, and the bill shows what you are being asked to pay for. Your dialogue should develop thus:

A asks for the bill.
B presents the bill.
A says there's something wrong (*Die Rechnung stimmt nicht!*).
B asks what is wrong (*Was stimmt nicht?*).
A explains in detail what is wrong (*Hier steht .../Wir haben kein(e)(n) ... gehabt, sondern .... usw.*).
B says that's correct and apologises.

CAFE KONDITOREI BECKMANN

3 × Cola	7,80 DM
1 × Kaffee	2,80 DM
2 × Eisbecher	6,20 DM
1 × Kirschtorte	3,— DM
	19,80 DM

Jetzt bist du dran!

Imagine that you are staying at a youth hostel with some friends. A German friend asks you to let him/her know what you think of it. Here are a few notes you and your friends have jotted down during your stay. Write a short letter to your friend in German, giving details of the place:

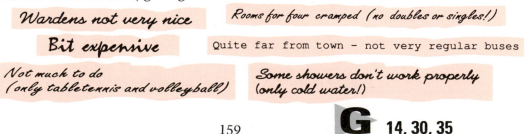

Wardens not very nice

Rooms for four cramped (no doubles or singles!)

Bit expensive

Quite far from town – not very regular buses

Not much to do (only tabletennis and volleyball!)

Some showers don't work properly (only cold water!)

G 14, 30, 35

60 AUF WIEDERSEHEN!

Der Aufenthalt geht zu Ende!

Patrick, ein vierzehnjähriger Ire, hat gerade zwei Wochen bei seinem Austauschpartner, Herbert Hofmann, verbracht. Der letzte Tag seines Aufenthalts ist gekommen. Er muß sich bald auf den Weg zum Bahnhof machen, um die lange Rückfahrt nach Irland anzutreten ...

a What do we learn about Patrick?
b How long has he been staying in Germany?
c What does Frau Hofmann suggest Patrick could do before setting off?
d Why does Herr Hofmann not think this is a good idea?
e What does Frau Hofmann tell Patrick to check?
f What luggage has he got?
g Where is it?
h What food and drink has she packed for his journey?
i When is she hoping to see him again?
j What does he say about his stay?

The following expressions will be useful for thanking people, and saying goodbye:

Danke schön/Danke sehr/Vielen Dank/Herzlichen Dank Ich danke dir/euch/Ihnen Ich bedanke mich (herzlich)	für ...
Auf Wiedersehen!/Bis später!/Bis morgen!/Bis Freitag!/Bis nächstes Jahr! usw.	

Vorbereitungen

Here are some things you may need to do before setting out on a journey. How would you say **a** that you haven't done them yet **b** that you have already done them:

 Fahrkarten kaufen

Koffer packen

Butterbrote vorbereiten

ein Taxi bestellen

Andenken | kaufen
Geschenke |

eine Thermosflasche Kaffee kochen

 Papiere überprüfen

Ich habe ... noch nicht (+ *past participle*). Ich muß noch ... (+ *infinitive*).
Ich habe schon ... (+ *past participle*).

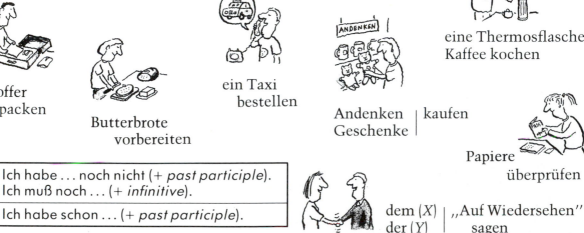

dem (X) | „Auf Wiedersehen"
der (Y) | sagen

160

Schon gemacht . . . ? Noch nicht gemacht . . . ?

This girl is about to return to England. She is asked whether she has done six things. Copy out the grid, listen to her replies, and give the information asked for:

Frage	Schon gemacht? Ja/Nein	Weitere Details
1.		

Dankschreiben

a What details does Patrick give about his homecoming?
b What details of his stay does he mention?
c Whom does he wish his thanks to be passed on to, and why do you think this is?
d What is he looking forward to?

Dublin
den 10 April

Ihr Lieben,

ich bin heute früh (um 3 Uhr!) zu Hause angekommen. Die Fähre hatte Verspätung, und meine Eltern mußten stundenlang auf mich warten, was ihnen natürlich gar nicht gefiel! Ich bin erst um Viertel vor 4 ins Bett gegangen! Ich habe jetzt aber ausgeschlafen (es ist 4 Uhr nachmittags), und nun sitze ich an meinem Schreibtisch um Euch zu schreiben und mich noch einmal für alles zu bedanken.

Der Aufenthalt war echt super. Ich habe viel Spaß bei Euch gehabt. Das Wochenende auf dem Land war besonders schön - sagt bitte eurem Opa und eurer Oma ein herzliches Dankeschön von mir. Der Tag in Bonn war sehr interessant, und die Dampferfahrt auf dem Rhein hat mir sehr gefallen. All die Ausflüge und Besuche waren prima, aber was mir am besten gefiel, war das Leben bei euch in der Familie. Ihr wart alle sehr nett zu mir, und habt mir mit meinem Deutsch sehr geholfen. Ich bedanke mich für alles noch einmal ganz herzlich.

Ich hoffe, bald von Euch zu hören, und freue mich auf Herberts Aufenthalt bei uns im Sommer.

Viele liebe Grüße
Patrick.

Danke schön

How would you thank someone . . .

– for his/her help
– for an invitation
– for a present
– for a lovely weekend
– for a lovely evening.

Play the parts of **A** a German host and **B** a British guest. Your dialogue should develop thus:

A asks whether **B** has packed his/her case.
B answers (if negative, says when he'll/she'll do it).
A asks if **B** has bought presents/souvenirs.
B says what he/she has bought, and for whom.
A gives him/her things for the journey (food? drink? magazine? etc.).
B thanks him/her.
A asks if he/she has tickets, passport, etc.
B answers.

Jetzt bist du dran!

Write a thank-you letter in which you . . .

– give details about your return journey
– mention four things about your stay which were memorable

– say what you liked best of all
– ask for your thanks to be passed on to someone
– thank them for everything.

 **G** 12, 14, 15, 36

Eine neue Zukunft

Read this magazine article about a German family who decided to change their life-style radically. Then answer the questions opposite:

DIESE WOCHE IM FERNSEHEN

Die Boysens vor ihrem Haus: Jens mit Jenny auf dem Arm. Vor ihm sitzen Arne, Meike und Jutta (v. links n. rechts).

Jutta beim Spinnen: Jetzt hat sie endlich Zeit für Hobbys und Familie. Früher arbeitete sie nachts als Kellnerin, um tagsüber für die Kinder sorgen zu können.

Umsteiger

Nie wieder in die Stadt!

Von der Großstadt auf eine Insel — Jens und Jutta Boysen begannen auf Pellworm ein neues Leben

Alles hinwerfen, abhauen, von vorn anfangen... Jutta (32) und Jens Boysen (35) haben das getan, woran andere manchmal denken. Vor zwei Jahren stiegen die Kellnerin und der Lehrer um in ein neues Leben: aus der Zwei-Millionen-Stadt Hamburg auf die nordfriesische Marschinsel Pellworm.

Die treibende Kraft war Jutta: „Damals stank mir alles, der Job, die Stadt, das ganze Leben." Sie saß fest, mit zwei Kindern aus erster Ehe, ohne Stellung und „ohne Vorstellung, wie es weitergehen sollte".

Juttas Freund Jens, auf der Insel geboren, hatte vor ein paar Jahren eine alte Kate für die Ferien und fürs Alter gekauft.

Jutta und Jens heirateten, und einen Monat später packten sie ihre Sachen und ließen mit den Kindern Arne und Meike, damals elf und acht Jahre, ihr altes Leben hinter sich.

Juttas größte Sorge: Würden die Kinder mit dem neuen Leben zurechtkommen? Sie kamen zurecht. „Sie sind sogar umgänglicher, selbstbewußter und ausgeglichener geworden", sagt Jens. „Früher stromerten sie stundenlang durch die Kaufhäuser, hätten am liebsten dauernd Vorschuß auf ihr Taschengeld gehabt. Heute fragen sie noch nicht mal mehr danach."

Und Jutta – als Großstadtpflanze auf einer Insel, die nur mit der Fähre zu erreichen ist? „Am Anfang war es schwer", gibt sie zu. „Man hat hier keine Ausweichmöglichkeiten, muß sich mit seinen Problemen und sich selbst wirklich auseinandersetzen."

Seit Jenny geboren ist, hat sie ohnehin genug Trubel. Die jüngste Boysen ist jetzt acht Monate alt. Sie ist der Grund dafür, daß Jens im letzten Jahr „relativ wenig gearbeitet hat".

Er fährt zur See, wie vor seinem Pädagogik-Studium; jetzt aber mit dem eigenen Küstenmotorschiff. 50 000 Mark hat er für die 45 Jahre alte „Fortuna" bezahlt. „Die Investition hat sich gelohnt. Das Schiff macht uns unabhängig."

Zurückkehren würden sie „nie wieder!". „Eher ziehen wir noch weiter hinaus."

a Where did the Boysens move from, and where to?

b What jobs did they have prior to the move?

c What details are given about Jutta's situation before the move?

d What had Jens done some years previously which made it all possible?

e What had been his original purpose in doing this?

f How soon after their wedding did they move?

g How did the children react to the move?

h How did Jutta find it at first?

i Why are eight months and 45 years mentioned?

j What is their attitude to moving back to where they came from?

Mein größter Traum ...

Listen to these four Germans speaking about their hopes and dreams for the future. In each case jot down as many details as you can about what they are wishing/hoping for:

Abdul 17 Jahre

Bernd 16 Jahre

Alexander 18 Jahre

Gisela 20 Jahre

Ausflüge

Listen to these two people suggesting places their English guests could go to. In each case make a note of **a** what sort of place is being recommended and **b** what the attractions of the place are:

… nur ein Traum?

Gärtner

Rockmusiker

Bademeister

Schauspieler

Formel-1-Fahrer

Taucher

Koch

Journalistin

Bankdirektorin

Modell

Modeschöpfer

Politikerin

Fotograf

Zoodirektor

Manager

a Was für ein Mensch muß man sein/Was für Talente muß man haben, um diese verschiedenen Berufe auszuüben?

b Was für eine Ausbildung braucht man dafür?

c Möchtest du einen von den Jobs haben?

d Für welchen bist du am besten geeignet?

e Warum?

f Für welchen bist du am wenigsten geeignet?

g Wieso?

h Was ist dein Traumberuf?

Unfälle!

Here are some newspaper reports of different types of accidents. Read them carefully and jot down as many details as you can about **a** the person(s) involved **b** what happened and **c** what the consequences were:

Wohnungsbrand: Mutter und Kind tot

Rastatt (dpa). Eine 24jährige und ihr fünfjähriger Sohn sind gestern bei einem Wohnungsbrand in Rastatt ums Leben gekommen. Beide erlagen einer Rauchvergiftung. Das Feuer war aus bislang noch ungeklärter Ursache in einer Dachwohnung ausgebrochen.

Zwei junge Mädchen rasten in den Tod

München (AP). Zwei junge Mädchen sind Samstagnacht bei Schnaitsee im Landkreis Traunstein in den Tod gerast. Die 19jährige Fahrerin eines Pkw war wegen überhöhter Geschwindigkeit mit ihrem Fahrzeug ins Schleudern geraten. Der Wagen raste in eine Baumgruppe. Die Fahrerin und ihre Freundin (18) waren sofort tot.

19jähriger starb im Schwimmbad

Hamburg. Im Hallenbad Elbgaustraße im Hamburg-Lurup ist der 19jährige Stefan H. ums Leben gekommen. Nach Angaben der Polizei war er mit einer Gruppe von zehn Personen des Berufsförderungswerks zum Schwimmen gegangen und versuchte, das 25 Meter lange Becken zu durchtauchen. Er kam jedoch vorzeitig hoch, wollte das Becken über eine Leiter verlassen und fiel dabei um. Wiederbelebungsversuche blieben erfolglos. Der 19jährige soll an Kreislaufbeschwerden gelitten haben.

Fußgängerin auf Bahnübergang getötet

Mainz (dpa). Eine 43jährige Frau ist am Samstag in Siebeldingen (Südliche Weinstraße) bei der Überquerung eines geschlossenen Bahnübergangs von einem D-Zug erfaßt und tödlich verletzt worden. Die Mutter von zwei Kindern war offenbar zwischen den Schranken durchgerannt, um einen Zug in dem nahegelegenen Bahnhof noch zu erreichen. Sie wurde von der Lok erfaßt.

Ratschläge

Here is some safety advice given by the German *Kriminalpolizei* and the *Deutsches Grünes Kreuz*. In your own words, explain what advice is being given:

Can you suggest any other slogans, either to do with safety in the home, or road safety?

165

GRAMMAR SURVEY

Nouns

1 Articles

All nouns are divided into three groups or genders: masculine (m), feminine (f); and neuter (n). Corresponding to these are the indefinite articles:

m	f	n
ein	eine	ein

and the definite articles:

m	f	n
der	die	das

It is wise to learn each noun with its **der**, **die**, **das** label.

2 Plural of nouns

The plural of **der**, **die**, **das** is in each case **die**. Unfortunately one cannot make a noun plural by adding an **-s**, as one can for most English nouns. There are various plural forms in German. In dictionaries a dash is usually used to represent the singular noun, and changes, if any, are indicated thus: der Wagen (-) i.e. plural **die Wagen**, der Bruder (-̈) i.e. plural **die Brüder**, die Schwester (-n) i.e. plural **die Schwestern**

The plural form should be learnt whenever a new noun is met.

3 Cases*

a *Nominative*

The **der**, **die**, **das** labels which one learns with nouns and their **ein**, **eine**, **ein** equivalents, are all in the *nominative* case. So too is the plural form **die**. This case is used to indicate the subject of the verb:

e.g. **Der** Lehrer kommt
  Ein Junge hat Grippe
  Die Kinder spielen

b *Accusative*

When a noun is the *direct object* of the verb, the masculine singular of its indefinite article (**ein**) and its definite article (**der**) become **einen** and **den** respectively:

e.g. Hier ist der Lehrer, *but*: Ich sehe **den** Lehrer
  Ein Bruder ist krank, *but*: Ich habe **einen** Bruder

The accusative case is also required after certain prepositions (see p.183).

c *Genitive*

The *genitive* expresses ownership and corresponds to the English **'s**. The genitive is also required after certain prepositions (see p.184. To form the genitive of proper nouns it is usually only necessary to add an **s** (no apostrophe):

e.g. Kar**ls** Buch
  Die Hauptstadt Frankreich**s**
  Die Straßen London**s**

In the singular, **der**, **die**, **das**, **ein**, **eine**, **ein** change to:

m	des ......(e)s	eines ......(e)s
f	der	einer ......
n	des ......(e)s	eines ......(e)s

Note that **-s** or **-es** (depending on ease of pronunciation) is added to the end of masculine* and neuter nouns:

e.g. das Auto **des** Lehrer**s**
  das Dach **des** Hause**s**
but das Heft ein**er** Schülerin

In the plural **die** changes to **der**.

e.g. die Eltern **der** Kinder

d *Dative*

The *dative* case is used to indicate the *indirect object*, i.e. the person to whom something is given, offered, promised,

---

* A table setting out the full case system, along with corresponding adjectival endings, is given on pp.191–92.

* A group of masculine nouns is an exception to this. See Weak Masculine Nouns, section **4**.

166

handed, etc. The dative is also required after certain prepositions (see p.184). The dative form of the indefinitive and definite articles is, respectively:

m	f	n
einem	einer	einem
dem	der	dem

In the plural, **die** changes to **den**, and **-n** or **-en** is added to the plural form of the noun, unless it already ends in **-n**:

e.g. die Mädchen → **den** Mädchen
    die Gärten → **den** Gärten
but die Häuser → **den** Häuser**n**
    die Leute → **den** Leute**n**

An exception to the above is the group of nouns of foreign origin, the plural of which is **-s**. These do not require **-n** or **-en** to be added:

e.g. die Büros → **den** Büros
    die Hotels → **den** Hotels

There are a few other foreign plurals which do not require **-n** or **-en** in the dative plural, but they are not likely to be needed except perhaps **das Examen** (pl. **Examina**). Note than **kein**, the possessive adjectives, **dieser**, **jener**, **jeder**, **solcher** and **welcher** all undergo the same changes as **ein**, **eine**, **ein**, **der**, **die**, **das** in the various cases. (See tables on p.192).

4 Weak masculine nouns

One group of masculine nouns (the plural of which is always **-n** or **-en**) is known as 'weak' masculine. The pattern of such nouns is given in the tables on p.191 and nouns which follow this pattern are indicated in the end vocabulary.

A Make up some sentences with the words below, saying what you and your family have/haven't got. Use **Ich habe …/Meine Familie hat …/ Wir haben …** Remember to use the accusative, i.e. **(k)einen/(k)eine/ (k)eine …**:

Fahrrad   Auto   Garten   Haus
Wohnung   Wohnwagen
Brieffreund   Brieffreundin
Volkswagen   Hund   Katze
Kaninchen

B Say that each of the following items belong to the people indicated. Remember to use the genitive for the owner:

e.g. das Auto – mein Bruder
    Das ist das Auto **meines Bruders**

1 die Tasche – meine Mutter
2 die Brieftasche – mein Vater
3 das Haus – mein Bruder
4 das Motorrad – mein Freund
5 das Heft – Peter
6 das Auto – meine Deutschlehrerin
7 das Wörterbuch – Monika
8 das Zimmer – meine Eltern
9 die Wohnung – mein Onkel
10 der Bauernhof – meine Großeltern
11 der Freund – meine Schwester
12 der Vater – meine Freundin

C Explain to your German correspondent who you are going to give the following presents to. Remember to use the dative for the person receiving the present:

e.g. Wem schenkst du die Pfeife? (Vater)
    Ich schenke **meinem Vater** die Pfeife

▶

> *or* Die Pfeife schenke ich
> **meinem Vater**
>
> 1 Wem schenkst du das Parfum? (Mutter)
> 2 Und die Schallplatte? (Schwester)
> 3 Und die Zeitschriften? (Deutschlehrer)
> 4 Und die Kuckucksuhr? (Großeltern)
> 5 Und den Bierkrug? (Onkel)
> 6 Und das Portemonnaie? (Kusine)
> 7 Und das Taschenmesser? (Bruder)
> 8 Und die Tasche? (Tante)

Verbs

In vocabularies and dictionaries verbs are listed in their *infinitive* form, e.g. **spielen**, to play. The different persons (e.g. I, you) and tenses (e.g. present, imperfect) are shown by different endings.

5 Persons of the verb

The persons of the verb are **ich** (I), **du** (you – *familiar*), **er** (he), **sie** (she), **es** (it), **man** (one), **wir** (we), **ihr** (you – *familiar plural*), **Sie** (you – *formal singular and plural*), **sie** (they). Note that **er** and **sie**, as well as meaning 'he' and 'she', can also both mean 'it' when referring to an inanimate object which is masculine or feminine:
e.g. **Der Tisch** ist alt – **Er** ist alt.
　　　Die Tasche ist grün – **Sie** ist grün.
Du, **Sie** and **ihr** all mean **you** but are used in different situations. **Du** is the familiar form and is used to address a friend, a member of the family (including a pet), and when a grown-up speaks to a youngster. Young people use it to speak to one another even when they are meeting for the first time.
Ihr is the plural of **du** and is used to address

two or more people in the situations listed above. **Sie** is formal and is used to address one or more strangers, among grown-ups in a formal situation, and when youngsters speak to grown-ups other than close family.

6 Present tense

In English there are three ways of expressing the present tense:
I play (every day, often, etc.)
I am playing (now, this morning, etc.)
I do play/do you play?
In German there is only one equivalent for these three forms:
ich spiele
Regular verbs have the following pattern:

ich spiel**e**	wir spiel**en**
du spiel**st**	ihr spiel**t**
er/sie/es/man spiel**t**	Sie spiel**en**
	sie spiel**en**

When an infinitive ends in **-ten** or **-den**, an extra **e** is added to the second and third person singular endings to make it easier to say:
e.g.　arbei**ten** → du arbei**test**
　　　　　　　　　er arbei**tet**
　　reden → du red**est**, er red**et**
Note also: reg**nen** → es reg**net**.
Some verbs change or modify the root vowel in the **du** and **er/sie/es/man** forms:
a becomes **ä** e.g. h**a**lten
　→ du h**ä**ltst, er h**ä**lt
au becomes **äu**, e.g. l**au**fen
　→ du l**äu**fst, er l**äu**ft
e becomes **ie**, e.g. s**e**hen
　→ du s**ie**hst, er s**ie**ht
　　or **i**, e.g. n**e**hmen
　→ du n**i**mmst, er n**i**mmt
The most common of these verbs are given in the verb list on pp.193–5. Certain common verbs are irregular and must be learnt individually. These are also given in the verb list.
Two very common verbs have irregular present tenses and should be given

particular attention:

haben	sein
(*to have*)	(*to be*)
ich habe	ich **bin**
du **hast**	du **bist**
er **hat**	er **ist**
wir haben	wir **sind**
ihr habt	ihr **seid**
Sie haben	Sie **sind**
sie haben	sie **sind**

7 Questions

Questions are formed in German by inverting the subject and verb, as in English:

Er ist......→ **Ist er** ......?

Karl kommt. → **Kommt Karl**?

8 Modal verbs

One group of irregular verbs is known as *modal auxiliary verbs*. The singular forms are irregular and must be learnt; the plural forms are regular.

können	wollen
(*to be able, can*)	(*to want*)
ich **kann**	ich **will**
du **kannst**	du **willst**
er **kann**	er **will**
wir **können**, *etc.*	wir **wollen**, *etc.*
müssen	sollen
(*to have to, must*)	(*to be supposed to, to be to*)
ich **muß**	ich **soll**
du **mußt**	du **sollst**
er **muß**	er **soll**
wir **müssen**, *etc.*	wir **sollen**, etc.
mögen	dürfen
(*to like*)	(*to be allowed to*)
ich **mag**	ich **darf**
du **magst**	du **darfst**
er **mag**	er **darf**
wir **mögen**, *etc.*	wir **dürfen**, *etc.*

Modal verbs are usually used in conjunction with an infinitive which stands at the end of the sentence:

Ich kann die Musik nicht gut **hören.**

Ich muß jetzt nach Hause **gehen.**

9 Imperative

There is an order form to correspond to each of the **du**, **wir**, **ihr** and **Sie** forms of the verb. The **wir**-form imperative has the meaning 'let's . . . !' Regular verbs form their imperatives thus:

du machst → **mach**! (i.e. drop **du** and **-st** ending)

wir machen → **machen wir**! (i.e. invert subject and verb)

ihr macht → **macht**! (i.e. drop **ihr**)

Sie machen → **machen Sie**! (i.e. invert subject and verb)

The **du**-form of most irregular verbs is formed in the same way as that of regular ones:

du sprichst → **sprich**!

du nimmst → **nimm**!

Those verbs which take an Umlaut in the second and third person singular drop this in the imperative:

du fährst → **fahr**!

du läufst → **lauf**!

Mal is often added to imperatives as an extra 'urging word':

Komm **mal**!

Gehen wir **mal** ins Kino!

The verb **sein** is irregular and must be learnt carefully:

sei! seien wir! seid! seien Sie!

10 Separable and inseparable verbs

Some verbs have an infinitive which is made up of a simple verb and a stressed prefix, all written as one word, e.g.

mitkommen, heimgehen.

These are known as separable verbs. In the present tense and the imperative the prefix breaks off and goes to the end of the sentence:

e.g. Ich **gehe** jetzt **heim.**

Komm mal **mit**!

After modal verbs the parts remain together:

e.g. Ich will jetzt **heimgehen**.
Ich kann nicht **mitkommen**.

There are more details about separable verbs on p.173 under the heading 'perfect tense' and on p.174 in notes on the use of **zu**. Some verbs have an infinitive which is made up of a simple verb and an unstressed prefix. These prefixes are inseparable. The most common are **ver-** and **be-**. Others are **emp-, ent-, er-, miß-,** and **zer-**.

e.g. besuchen, behalten, versuchen, verstehen, verkaufen

In the present tense and imperative inseparable verbs behave like simple verbs:

e.g. Ich besuche meine Großeltern.
Behalten Sie es!
Verstehst du das?

There are more details about inseparable verbs on p.173 under the heading 'perfect tense'.

11 Reflexive verbs

These verbs can be recognized in the infinitive by their reflexive pronoun **sich**, e.g. **sich verletzen**. The usual meaning of the reflexive pronoun is *oneself*: **sich verletzen** – to hurt oneself.

The pronouns must, of course, change according to the person of the verb (myself, yourself, etc.). Here is a typical present tense showing all of the pronouns:

ich verletze **mich**	wir verletzen **uns**
du verletzt **dich**	ihr verletzt **euch**
er	verletzt **sich**	Sie verletzen **sich**
sie		sie verletzen **sich**
es		
man		

In many cases a reflexive pronoun is required in German where it is not required in English:

e.g. **sich waschen**   to wash (i.e. oneself)

sich (hin)setzen   to sit down
(*literally*: to set oneself down)
sich konzentrieren   to concentrate
(*literally*: to concentrate oneself)

The pronoun **sich** can also mean *one another*:

e.g. **sich wiedersehen**   to see one another again
sich treffen   to meet one another

When there is a direct object other than the pronoun, the latter is put into the *dative* and shows *to whom*, *for whom*, or *for whose benefit* the action is done:

e.g. Ich kaufe **mir** ein neues Hemd.
Ich wasche **mir** die Hände.

Note that **sich** is both accusative and dative:

e.g. Er wäscht **sich** (*accusative*).
Er wäscht **sich** die Hände (*dative*).

The pronouns are also required in questions:

e.g. Wo treffen wir **uns**?

and in orders:

e.g. Setz **dich** hin!
Wascht **euch** die Hände, Kinder!

12 Dative verbs

Some verbs in German require a *dative* (*indirect*) object where in English there is a *direct* object. Apart from **folgen** and **begegnen** (see note on Perfect with **sein**, p.174) the following are in common use and should be particularly noted; antworten, helfen, danken, zuhören, zusehen, glauben *

e.g. Er hilft sein**er** Mutter.
Ich habe **ihm** schon gedankt.
Er antwortete **dem** Lehrer nicht.

The following expressions which require the dative are also very common and should be noted:

Es gefällt **mir** gut/nicht.

---

* Glauben requires the *dative* when it refers to believing a person, not a fact:
e.g. Ich glaube **es** nicht, *but* Ich glaube **dir** nicht.

Es geht **mir** gut/nicht gut.
Es gehört **mir**.
Es gelingt **mir**, ... zu + *infinitive*.
Es schmeckt **mir** gut/nicht.
Es tut **mir** leid.
Du tust, er/sie tut **mir** leid.
Es tut **mir** weh.
Mir ist kalt/warm.

A Here are some things you might say to someone of your own age in Germany. What do they mean in English? How would you need to change them if you were speaking to a stranger, or someone older than you?
1 **Spielst du** gern Tennis?
2 **Kannst du** mir helfen?
3 **Bist du** krank?
4 **Hast du** Hunger?
5 **Kommst du** mit?
6 **Du siehst** ein bißchen blaß aus!
7 **Du darfst** nicht hier parken!
8 **Willst du** einkaufen gehen?

B Here are some things you might say to a stranger or someone older than you. What do they mean in English? How would you need to change them if you were speaking to someone of your own age?
1 **Möchten Sie Ihr** Zimmer sehen?
2 **Sie nehmen** den Bus, Linie 34.
3 **Sie müssen** hier warten.
4 Ich fahre in die Stadt. **Fahren Sie** mit?
5 **Mögen Sie** Schweinefleisch?
6 **Haben Sie** Lust, ins Kino zu gehen?
7 **Sind Sie** müde?
8 **Verstehen Sie** die Sendung?

C Here are some imperatives you might use if speaking to a grown-up. Say what they mean in English. How would you need to change them if you were speaking to someone your own age?
1 **Fahren Sie** langsamer! . . . Dieser Weg ist gefährlich!
2 **Machen Sie** schnell! Es wird spät!
3 **Gucken Sie** mal **her**!
4 **Geben Sie** mir **Ihren** Mantel!
5 **Gehen Sie** ins Wohnzimmer!
6 **Setzen Sie sich hin**!
7 **Nehmen Sie** die erste Straße links!
8 **Schlafen Sie** gut!

D Here are some imperatives you might use if speaking to someone your own age. Say what they mean in English. How would you need to change them if you were speaking to a grown-up?
1 **Steh** nicht **auf**! . . . **Bleib** dort sitzen!
2 **Komm** doch **mit**! Es wird ein schöner Abend sein.
3 **Warte** hier! Ich bin gleich wieder da.
4 **Sag** mir! Wo sind die Toiletten?
5 **Bediene dich**! . . . **Laß** es nicht kalt werden!
6 **Geh** geradeaus bis zur Ampel!
7 **Bieg** an der Ampel rechts **ab**!
8 **Hilf** mir, bitte!

E Using the present tense of the following verbs, give your morning routine:
e.g. Um 7.30 Uhr *aufstehen*
    Ich **stehe** um 7.30 Uhr **auf**.
1 ins Badezimmer *gehen*
2 *duschen*
3 *sich anziehen*
4 nach unten *gehen*
5 *frühstücken*

▶

6 (meine) Schulsachen *zusammensuchen*

7 gegen 8.15 das Haus *verlassen*

8 sich mit (meinen) Schulkameraden *treffen*

9 den Schulbus *nehmen*

10 gegen 8.40 in der Schule *ankommen*

F Imagine you are speaking to a German correspondent. How would you tell him/her . . .

1 . . . that you can't see very well.

2 . . . that you don't want to go out.

3 . . . that you'd like to go for a walk.

4 . . . that you're thirsty.

5 . . . that you don't like coffee.

How would you ask him/her . . .

6 . . . if you may watch television.

7 . . . what you're supposed to do

8 . . . if you have to pay.

9 . . . if you can come with him/her.

10 . . . if his/her brother wants to play, too.

G All of these sentences contain reflexive verbs. Complete them by adding the correct reflexive pronouns. Then say what they mean in English:

1 Langweilst du ____ ? Ja . . . zu Tode!!

2 Wir müssen ____ bald auf den Weg machen.

3 Bevor wir zu Abend essen, möchte ich ____ waschen/____ die Hände waschen.

4 Mein Bruder fühlt ____ unwohl und möchte ____ hinlegen.

5 Setzen Sie ____, Frau Meyer!

6 Ihr solltet ____ ausruhen, Kinder!

7 Wo treffen wir ____ ? Vor dem Kino?

8 Wo sind die Kinder? Sie waschen ____ und ziehen ____ um.

9 Wie heißt er? Ich erinnere ____ nicht!

10 Zieh eine Jacke an, sonst wirst du ____ erkälten.

13 Imperfect tense

In German the imperfect tense expresses the idea of *was doing* and *used to do*. It can also (unlike the French imperfect) describe single, completed actions in the past, i.e. *did*.

The imperfect of all regular verbs (weak verbs) is formed by adding the following endings to the stem (infinitive minus **-en** or **-n**).

sag**en**: ich sag**te**   klingel**n**: ich klingel**te**
du sag**test**   *etc.*
er sag**te**
wir sag**ten**
ihr sag**tet**
Sie sag**ten**
sie sag**ten**

Infinitives ending in **-den** or **-ten** require an extra **e** for ease for pronunciation:

e.g. baden: ich bad**ete**
du bad**etest**, *etc.*

arbeiten: ich arbeit**ete**
du arbeit**etest**, *etc.*

Note also: regnen: es regn**ete**.

A number of irregular verbs (mixed verbs) have the weak endings in the imperfect tense. The most common are **haben (ich hatte)**, **wissen (ich wußte)**, **kennen (ich kannte)**, **bringen (ich brachte)**, **rennen (ich rannte)**, and the modals **können (ich konnte)**, **wollen (ich wollte)**, **sollen (ich sollte)**, **müssen (ich mußte)**, **mögen (ich mochte)**, and **dürfen (ich durfte)**.

Note the absence of umlauts (¨) on modal

verbs in the imperfect tense.

Most irregular verbs (strong verbs) have an imperfect tense which ends in a consonant in the **ich** form. There is no rule for forming the imperfect of these verbs; they have to be learnt individually. Their pattern is:

sein: ich wa**r**   **sprechen:** ich spra**ch**
du wa**rst**   du spra**chst**
er wa**r**   er spra**ch**
wir wa**ren**   *etc.*
ihr wa**rt**
Sie wa**ren**
sie wa**ren**

The most common irregular imperfects are given in the verb tables (pp.193–5).

14 Perfect tense

The perfect tense corresponds to the English tenses *I did* and *I have done*. It is made up of two parts; the auxiliary verb **haben** (or **sein** – see p.173) and a *past participle*.

In simple sentences the past participle stands at the end of the sentence.

The past participle of regular (weak) verbs is formed thus:

such**en** → **ge**such**t**

For ease of pronunciation **-et** is added when the final consonant is **-t** or **-d**:

arbeit**en** → **ge**arbeit**et**

bad**en** → **ge**bad**et**

Note also regn**en** → **ge**regn**et**

e.g. Ich **habe** meinen Paß überall **gesucht**.
     Du **hast** den ganzen Abend **gearbeitet**.

Irregular (strong) verbs have past participles which cannot simply be formed from their infinitives; they must be learnt individually:

e.g. sprechen → ich habe **gesprochen**
     singen → ich habe **gesungen**
     The most common are listed on pp.193–5.

Questions are formed by the inversion of the subject and auxiliary verb:

e.g **Hast du** gehört?

The perfect tense of modal verbs is not normally required to be known at this level as the imperfect can always be used instead, but it may need to be recognized. When a modal verb simply has a direct object, its perfect is straightforward:

Ich **habe** es nicht **gewollt**.

Er **hat** es leider nicht **gekonnt**.

When it has a dependent infinitive, its past participle has the same form as the infinitive:

e.g. Ich **habe** es nicht **machen wollen**.
     Er **hat** es nicht **machen können**.

Inseparable verbs can either be regular (weak) or irregular (strong). Neither add **ge-** to form their past participle. Regular inseparable verbs have the regular **-t** endings:

e.g. verlegen → ich habe **verlegt**

Irregular past participles have to be learnt:

e.g. verlieren → ich habe **verloren**

Apart from **verlieren**, all verbs ending in **-ieren** are verbs 'borrowed' from other languages (mainly French and Italian). These are weak verbs, but do not add **ge-** to form their past participle:

e.g. telefonieren → ich habe **telefoniert**

As separable verbs are made up of recognizable verbs and a separable prefix, the past participle is that of the original verb plus the prefix, all written as one word:

e.g. holen → ich habe **geholt**
     abholen → ich habe **abgeholt**

15 Perfect with 'sein'

In German all intransitive verbs (i.e. those with no direct object) expressing motion or change of state require **sein** and not **haben** as the auxiliary verb in the perfect tense. The past participles of these verbs can be regular or irregular; their formation and use follow the normal rules.

e.g. eilen: Er **ist** in die Küche **geeilt**.
     gehen: Ich **bin** ins Dorf **gegangen**.

Note also the verbs **sein**, **bleiben** and

werden which fall into this category:

e.g. Ich **bin** zweimal in Deutschland
gewesen.
Ich selbst **bin** zu Hause **geblieben**.
Er **ist** Lehrer **geworden**.

Some of these verbs can be used
transitively or intransitively (i.e. with or
without a direct object). When they have a
direct object, they are conjugated with
haben; when they do not, they are
conjugated with **sein**:

e.g. Ich **bin** in die Stadt **gefahren**.
Ich **habe** das Auto in die Garage
gefahren.

Some of these verbs, which have a direct
object in English, require **sein** in German
and are followed by an *indirect object* in
the *dative*. Two common examples of this
are **folgen** and **begegnen**:

e.g. Ich **bin** mein**em** Freund in der Stadt
begegnet.
Der Hund **ist dem** Jung**en** zur Schule
gefolgt.

Verbs requiring **sein** are indicated in the
verb tables (pp.193–5) and in the end
vocabulary.

16 The pluperfect tense

The pluperfect tense expresses the English
had done. It is formed and follows the
same rules as the perfect tense, except that
instead of the auxiliary verbs being in the
present tense, they are in the *imperfect*:

e.g. ich **hatte** gesucht
ich **war** gefahren
ich **hatte** machen müssen

17 The future tense

The present tense, combined with a
suitable adverb, can be used to talk about
the future (like the English 'He is going
there tomorrow'):

e.g. Ich **mache** es morgen.
Er **kommt** später.

The true future tense (*I shall, you will,*

etc.) is formed by using the present tense of
werden + infinitive. The infinitive stands
at the end of the clause:

e.g. Ich **werde** es morgen **machen**.
Wird der Karl auf der Party **sein**?

18 Lassen + infinitive

Lassen, when used with an infinitive, has
the meaning *to get something done*. In the
present and imperfect tense **lassen** is
regular:

e.g. Ich **lasse** mein Auto reparieren.
Ich **ließ** meinen Ledermantel reinigen.

In the perfect tense, instead of the normal
past participle **gelassen**, **lassen** is used.
This is similar to the perfect tense of
modal verbs (see p.169):

e.g. Ich **habe** mir die Haare schneiden
lassen.

Lassen can also, of course, be in the
infinitive:

e.g. Ich war krank und **mußte** die Zeitung
holen **lassen**.

19 Zu + infinitive

Apart from the modal verbs, which are
followed by a plain infinitive, all other
verbs and structures which are followed by
an infinitive require the addition of **zu**. Its
position in relation to the infinitive is as
follows:

(*simple verb*) **zu** kaufen (i.e. before the
verb)

(*inseparable verb*) **zu** beginnen (i.e. before
the verb)

(*separable verb*) aus**zu**gehen (i.e. between
the prefix and the infinitive and written as
one word)

The **zu** + *infinitive* stands at the *end* of the
sentence, and is separated from the main
clause by a comma.

e.g. Ich habe keine Lust, in die Stadt **zu
fahren**.
Ich hatte keine Gelegenheit, den
Kölner Dom **zu besichtigen**.

20 In order to . . .

In order to . . . is expressed in German by **um** . . . **zu** + *infinitive*. Note that **um** stands at the beginning of the clause, **zu** + *infinitive* at the end. The rules for the position of **zu** in relation to the infinitive are given above (section **19**).

e.g. Ich fahre in die Stadt, **um** ein paar Einkäufe **zu machen**.
Ich gehe in eine Telefonzelle, **um** meine Freundin **anzurufen**.

The **um** . . . **zu** clause is separated from the main clause by a comma.

21 The conditional tense and the subjunctive

The conditional tense (*I should/would, you would*, etc.) is formed by using the imperfect subjunctive of **werden** with an infinitive. The infinitive stands at the end of the clause.

i.e. ich **würde** + *infinitive*
du **würdest**
er **würde**
wir **würden**
ihr **würdet**
Sie **würden**
sie **würden**

The imperfect subjunctive of other verbs has the same meaning as the conditional, and is frequently found in expressions such as:

Ich **möchte** . . .   I would like . . .
Könntest du . . . ?   Could you . . . ?
Wir **sollten** . . .   We should . . .
Würden Sie bitte . . . ?   Would you . . . ?

Rules for the formation of the subjunctive are not important at this level but the subjunctive of a few important verbs should be learnt.

The endings are **-e, -est, -e, -en, -et, -en, -en**. Apart from the verbs mentioned above, the following are important:

ich würde sein → ich **wäre**
ich würde haben → ich **hätte**

The pattern of conditional sentences is as follows:

Ich **würde** es **kaufen**, wenn ich genug Geld **hätte**.
Hätte ich genug Geld, **würde** ich es kaufen.
Wenn ich genug Geld **hätte**, **würde** ich es kaufen.

22 Passive

You will not normally be required to be able to use the passive but will probably need to be able to recognize it.

In English the passive is formed by using various tenses of the verb *to be* with the *past participle* (i.e. she is being fetched, I was injured, it has been stolen, etc.). In German the verb **werden** (to become) is used instead of the verb *to be*:

e.g. Er **wird abgeholt** – *He's being fetched*
Ich **wurde verletzt** – *I was injured*
Es **ist gestohlen worden** – *It has been stolen*

Note that **worden**, rather than the regular past participle **geworden** is used in this structure.

A Decide whether **haben** or **sein** is appropriate in the following sentences. Then say what they mean in English:

1 Ich *habe/bin* gestern angekommen.
2 Ich *habe/bin* meinen Paß verloren.
3 *Hast/Bist* du schon einmal in England gewesen?
4 Wie lange *hast/bist du* dort geblieben?
5 Mein Vater *hat/ist* in Deutschland gearbeitet.
6 Wir *haben/sind* in der Schweiz gezeltet.
7 Wir *haben/sind* gestern früh abgefahren.

8 *Hast/Bist* du schon in der Gegend spazierengegangen?

9 *Hast/Bist* du schon Andenken gekauft?

10 Meine Eltern *haben/sind* eine Woche in Bonn verbracht.

11 Sie *haben/sind* dann nach München weitergefahren.

12 Ich *habe/bin* in Deutschland viel Spaß gehabt.

B Carry out the following instructions in German:
Tell a German friend . . .

1 . . . you played volleyball (*Volleyball spielen*)

2 . . . you saw some castle ruins (*Schloßruinen sehen*)

3 . . . you went on a Rhine cruise (*eine Rheindampferfahrt machen*)

4 . . . you stayed in a youth hostel (*in einer Jugendherberge bleiben*)

5 . . . you bought some postcards (*Ansichtskarten kaufen*)

6 . . . you ate in a restaurant (*im Restaurant essen*)

7 . . . you spent the day in Bonn (*den Tag verbringen*)

8 . . . you missed the bus (*den Bus verpassen*)

9 . . . you took the tram (*die Straßenbahn nehmen*)

10 . . . you had to queue (*Schlange stehen müssen*).

C Carry out the following instructions in German:
a as if speaking to a friend (i.e. using **du**)
b as if speaking to a grown-up (i.e. using **Sie**).
Ask . . .

1 . . . what (s)he did today (*machen/tun*)

2 . . . what (s)he visited (*besuchen/besichtigen*)

3 . . . how much the trip cost (*kosten*)

4 . . . where (s)he went (*fahren*)

5 . . . if (s)he went by train (*den Zug nehmen*)

6 . . . when (s)he got to Bonn (*in Bonn ankommen*)

7 . . . if (s)he found some good souvenirs (*gute Andenken finden*)

8 . . . what (s)he bought (*kaufen*)

9 . . . if (s)he was able to visit the town hall (*das Rathaus besuchen können*)

10 . . . if it rained (*regnen*).

D Write ten sentences saying what you did/used to do when you were younger. Start each sentence with **Als ich jünger war, . . .** or **Als ich X Jahre alt war,** . . ., followed by a past tense. Pay careful attention to the word order in the clause you add. Then say what your sentences mean in English:
e.g. Als ich jünger war, **hatte ich viele Haustiere**.
Als ich zehn Jahre alt war, **zog ich um/bin ich umgezogen**.

E Join up these sentence halves. Some require **zu**, some don't! Be careful with the position of **zu**. Then say what the sentences mean in English:

1 Ich möchte . . . (*ausgehen*)

2 Ich will . . . (*ein paar Postkarten schreiben*)

3 Ich hoffe . . . (*den Dom besuchen*)

4 Ich habe keine Lust . . . (*Tennis spielen*)

5 Darf ich . . . (*dein Fahrrad benutzen*)?

6 Ich muß ... (bald gehen)

7 Ich habe vergessen ... (meine Eltern anrufen)

8 Ich habe vor ... (nach Deutschland fahren)

F Using **um ... zu** (+ *infinitive*), give the reasons why you are going into town or staying at home. Be careful with the position of **zu**. Then say what the sentences mean in English:

e.g in die Stadt fahren/*Kleidung kaufen*

Ich fahre in die Stadt, **um Kleidung zu kaufen**.

1 in die Stadt fahren/*einen Freund besuchen*

2 in die Stadt fahren/*einkaufen*

3 in die Stadt fahren/*Geld umtauschen*

4 in die Stadt fahren/*die Altstadt besichtigen*

5 in die Stadt fahren/*einen Ausflug buchen*

6 zu Hause bleiben/*meine Hausaufgaben machen*

7 zu Hause bleiben/*fernsehen*

8 zu Hause bleiben/*ein Buch lesen*

9 zu Hause bleiben/*mein Zimmer aufräumen*

10 zu Hause bleiben/*ein paar Briefe schreiben*

Pronouns

23 Direct and indirect object pronouns

The pronouns which indicate the various persons of the verb are, of course, the subjects of the verb and hence in the *nominative* case. The following are the *accusative* and *dative* pronouns which correspond to them:

nominative	accusative	dative
ich	mich	mir
du	dich	dir
er	ihn	ihm
sie	sie	ihr
es	es	ihm
wir	uns	uns
ihr	euch	euch
Sie	Sie	Ihnen
sie	sie	ihnen

These play the same roles in sentences as those explained elsewhere for the accusative and dative of nouns, i.e. *accusative* – direct objective and after certain prepositions; *dative* – indirect object and after certain prepositions.

e.g. Accusative:
Ich sehe **ihn**
Sie besucht **mich**
Ich habe **es**
Ich kenne **sie** nicht
für **mich**, ohne **ihn**, gegen **uns**

Dative:
Gib **mir** die Zeitung!
Wie geht es **Ihnen**?
Kann ich **dir** etwas anbieten?
mit **ihm**, zu **ihr**, bei **uns**

24 Stressed pronouns

A good rule to bear in mind is that „**ein**" **steht nie allein**, that is to say, you should never use the word **ein** unless it stands with a noun (**ein Mann**, **ein Haus**, etc.). When it has to stand on its own, it must have some special endings:

	m	f	n
nom.	einer	eine	ein(e)s
acc.	einen	eine	ein(e)s
dat.	einem	einer	einem

You will already have met one of these in counting **eins**, **zwei**, **drei**, etc. Here are some more examples:

Wie viele Jungen sind in der Klasse?
– Nur **einer**!
Ein(**e**)**s** von den Mädchen verpaßte den Zug.

These endings also apply to **kein** and all of the possessive adjectives (**mein**, **dein**, etc.):
Wieviel Geld hast du? Ich habe **kein**(**e**)**s**.
Es ist **keiner** da!
Wessen Mantel ist das? **Meiner**.
Mit welchem Wagen fahren wir? Mit **meinem**.

25 Use of capitals in letter writing
Sie, **Ihnen**, and **Ihr**(**e**) are always written with capital letters; normally **du**, **dich**, **dir**, **dein**(**e**), and **ihr**, **euch**, **euer**(**e**) are written with small letters. However, when writing letters, cards, etc., they are written with capitals:
e.g. Vielen Dank für **Deinen** Brief.
     Ich wünsche **Euch** alles Gute.

26 Relative pronouns
The relative pronouns (*who*, *whom*, *which*, etc.) are, with a few exceptions, the same in German as the definite articles:

	m	f	n	pl
nom. (who, which)	der	die	das	die
acc. (whom, which)	den	die	das	die
gen. (whose, of which)	**dessen**	**deren**	**dessen**	**deren**
dat. (to whom, which)	dem	der	dem	**denen**

The relative pronoun takes its number and gender from the word it refers back to; its case depends on the part it plays in its own clause.
Relative clauses are subordinate clauses, so the finite verb stands at the end of the clause (see p.181):
e.g. Der Mann, **der** dort **steht**, ist ...
     Der Mann, **den** du dort **siehst**, ist ...

Die Frau, **deren Tochter** krank **ist**, heißt ...
Die Frau, **der** er es **gab**, heißt ...
Die Kinder, **mit denen** er **spricht**, sind ...

Note that the relative pronoun cannot be omitted as it can in English:
e.g. The man I saw ...
     Der Mann, **den** ich sah ...

27 'Was' as a relative
Was is sometimes used as a relative pronoun. Its use in the following cases should be noted:
Alles, **was** man auf dem Markt kauft, ist billig.
Sie kaufte **nichts**, **was** sie im Kaufhaus sah.
Das Beste/einzige, **was** ich empfehlen kann, ist ...

28 This, that, this one, that one
This and *that* are expressed in German by, respectively, **dieser/diese/dieses** and **jener/jene/jenes**. However, **jener**, etc. sounds rather old-fashioned and is usually replaced by:
dieser/diese/dieses + *noun* + **dort**
(literally *this ...... there*)
or **der/die/das** + *noun* + **dort**
     (literally *the ...... there*)
e.g. dieser | Mann dort
     der |
Of course **dieser**, **der**, etc. can be in any case:
Siehst du | diesen | Mann dort?
          | den |
Mit | diesem | Bus dort ...
    | dem |
This one and *that one* are expressed by:
dieser/diese/dieses + **hier** or **dort**
Often they are expressed by:
der/die/das + **hier** or **dort**
When spoken, the **der/die/das** is stressed.
These pronouns can, of course, be in any case:

Welcher Mann?	**Dieser**	hier/dort
	Der	
Welchen Mann?	**Diesen**	hier/dort
	Den	
Mit welchem Bus?	Mit	**diesem**	hier/dort
		dem	

A Choose the right form of the pronoun, and then say what the sentences mean in English:

1 Nein, ich kenne *er/ihn/ihm* nicht.
2 Ich finde *sie/ihr* sehr nett.
3 Ich habe *sie/ihnen* im Jugendklub kennengelernt.
4 Er hat *wir/uns* zur Party eingeladen.
5 Kann ich *Sie/Ihnen* helfen?
6 Komm! Ich zeige *dich/dir*, wo es ist.
7 Kannst du *mich/mir* vom Bahnhof abholen?
8 Den Karl? Nein, ich habe *ihn/ihm* nicht gesehen.
9 Er hat *mich/mir* beim Deutschlernen geholfen.
10 Hast du *sie/ihr* den Brief gegeben?
11 Kannst du *ihn/ihm* sagen, ich fahre nicht mit?
12 Kommt, Kinder! Ich fahre *ihr/euch* zum Schwimmbad.

B Replace the underlined words by pronouns, and then say what each sentence means in English:
1 Ich schreibe an <u>meinen Vater</u>.
2 Ich habe <u>meine Eltern</u> angerufen.
3 Ich habe es <u>deinem Bruder</u> gegeben.

4 Kannst du <u>meinen Eltern</u> helfen?
5 <u>Der Karl</u> ist heute krank.
6 Ich habe <u>die Monika</u> im Krankenhaus besucht.
7 Wir müssen <u>meiner Klassenlehrerin</u> sagen, ob wir mitfahren wollen.
8 Ich fahre dieses Wochenende zu <u>meinen Großeltern</u>.

C Fill in the gaps with the correct relative pronouns (**der, die, das,** *etc.*). Then say what the sentences mean in English:
1 Zeig mir die Geschenke, _____ du gekauft hast!
2 Der Junge, _____ am Fenster steht, heißt Erich.
3 Der Bierkrug, _____ ich gekauft habe, hat einen Fehler.
4 Die Lehrerin, _____ die Gruppe begleitet, ist sehr streng.
5 Die deutsche Familie, bei _____ ich wohne, ist recht nett zu mir!
6 Welche Karten? Die Karten, _____ ich an meine Eltern geschrieben habe.
7 Welcher Brief? Der Brief, _____ ich an meine Mutter geschrieben habe.
8 Wer ist die Frau, _____ mit Herrn Braun spricht?
9 Wer ist die Frau, mit _____ Herr Braun spricht?
10 Wo ist die Zeitschrift, _____ auf dem Tisch lag?
11 Zeig mir alles, _____ du gekauft hast!
12 Der Lehrer, _____ du es geben mußt, ist wahrscheinlich im Lehrerzimmer.

Word order

29 Main clauses

Except in questions, the verb in main clauses is always the *second idea*. In the simplest sentences, of course, the first idea will be the subject of the verb:

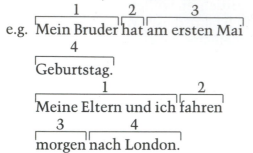

e.g. Mein Bruder hat am ersten Mai Geburtstag.

Meine Eltern und ich fahren morgen nach London.

If any of the other ideas in the sentence is put first, the subject and verb must be inverted to keep the verb as the second idea:

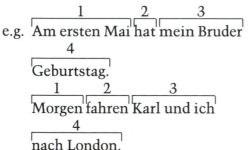

e.g. Am ersten Mai hat mein Bruder Geburtstag.

Morgen fahren Karl und ich nach London.

Note that **ja**, **doch**, **nein** and exclamations such as **ach**! are considered as being separate from the rest of the sentence. They do not affect the word order:

e.g. Ja, ich bin sehr müde.

Ach! das tut mir leid.

30 Coordinating conjunctions

Conjunctions are words which join clauses together. In German, some conjunctions, called *co-ordinating conjunctions*, do not affect the word order in the second clause (i.e. the verb remains the second idea). The most common of these are:

und and
denn for, because
oder or
aber but
sondern but

e.g. Ich stand zu spät auf, und **ich verpaßte** den Bus.

Er kann nicht in die Schule, denn **er ist** zu krank.

Although **aber** and **sondern** both mean *but*, they have different uses. **Aber** means *but* in the sense of *however*, **sondern** means *but* in the sense of *on the contrary*; it can only be used when the following conditions are fulfilled:

— the first statement is in the negative;
— the second statement contrasts with the first.

e.g. Ich bin ziemlich dumm, **aber** meine Schwester ist intelligent.

Ich bin nicht intelligent, **sondern** (ich bin) sehr dumm.

When the subordinate clause stands before the main clause, it affects the word order in the same way that any other 'idea' does, i.e. the subject and verb must be inverted to keep the finite verb as the second idea:

e.g. Ich bleibe zu Hause, wenn es regnet.

but Wenn as regnet, **bleibe ich** zu Hause.

31 Subordinate clauses

Other conjunctions (subordinating conjunctions) change the word order in the clauses they introduce. The most common are:

daß that
ob whether
als as, when
wenn if, whenever
bis until
weil because
bevor before
nachdem after
während while
obgleich/obwohl although
damit so that, in order that
(so) daß with the result that

These subordinating conjunctions send

the finite verb to the end of the clause they introduce:

e.g. Er weiß noch nicht, **daß** ich da bin.
Ich weiß nicht, **ob** ich mitkommen kann.
Er kommt, **obwohl** er einen Unfall gehabt hat.

Note that, when a separable verb is involved, the verb goes to the end of the clause and is written together with the prefix:

e.g. Mein Vater **kommt** bald **zurück**.
Ich warte, bis mein Vater **zurückkommt**.

In subordinate clauses introduced by an interrogative (i.e. question word) after phrases such as 'I don't know . . .' and 'Could you tell me . . . ?' the finite verb stands at the end of the clause. The interrogatives (question words) with which they start are the same as the normal interrogatives:

e.g. **Wo** sind deine Eltern?
Ich weiß nicht, **wo** sie **sind**.
Wann machen die Banken auf?
Können Sie mir sagen, **wann** die Banken **aufmachen**?

When there is no question word in the original question (i.e. 'Have you . . . ?' 'Can I . . . ?'), **ob** (= if, whether) is used to introduce the clause:

e.g. Kommt der Karl auch mit?
Ich weiß nicht, **ob** er mitkommt.

32 Wann, wenn, als

Wann, **wenn** and **als** all mean 'when' and can all introduce subordinate clauses. They are used in different situations, however.

If *when* can be replaced by *at what time* then **wann** should be used:

e.g. Ich weiß nicht, **wann** der Film beginnt (i.e. *at what time* it begins)

If *when* can be replaced by *whenever* then **wenn** should be used:

e.g. Ich sehe fern, **wenn** ich nichts Besseres zu tun habe (i.e. *whenever* I haven't anything better to do)

Note that **wenn** can also mean *if*.
When *one occasion in the past* is being referred to **als** should be used:

e.g. **Als** er aus dem Kino kam, ging er ins Restaurant (i.e. when he came out of the cinema *on one occasion*)

33 Direct and indirect objects

The following sentences illustrate the rules for word order when a sentence contains both a direct and an indirect object:

Der Mann gibt **seiner Frau den Brief**. (i.e. when two nouns – indirect before direct)
Der Mann gibt **ihn seiner Frau**.
Der Mann gibt **ihr den Brief**.
(i.e. when a pronoun and a noun – pronoun before noun)
Der Mann gibt **ihn ihr**.
(i.e. when two pronouns – direct before indirect)

34 Time, manner, place

When a sentence includes more than one adverb, or adverbial phrase, they must follow the order *Time* (i.e. when?), *Manner* (i.e. how?), *Place* (i.e. where? where to? where from?):

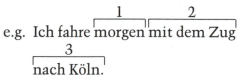

e.g. Ich fahre morgen mit dem Zug nach Köln.

Negatives

35 Nicht, kein(e)

The negative (*not*) is usually expressed by **nicht**:

e.g. Er ist **nicht** alt.
Ich sehe Karl **nicht**.
Ich habe **nicht** im September Geburtstag.

When a noun is being made negative (*not a . . . , no . . . , not any . . .*) then **kein(e)** is used. **Kein(e)** follows the pattern of **ein(e)**. Its plural form is **keine**.
e.g. Das ist **kein** Problem.
      Ich habe **keine** Geschwister.
A useful tip is to avoid the combination **nicht** + **ein(e)**. Use **kein(e)**!

A Rewrite these sentences by putting the phrases underlined at the beginning of the sentence. Remember to invert the subject and verb. Then say what each sentence means in English:
1 Der Film beginnt <u>um 20.00 Uhr</u>.
2 Ich kann <u>das</u> nicht.
3 Er sieht <u>krank</u> aus!
4 Wir fahren <u>morgen</u> nach Bonn.
5 Es liegt <u>auf dem Tisch</u>.
6 Ich habe <u>am ersten Mai</u> Geburtstag.
7 Er kommt <u>morgen um 10 Uhr</u>.
8 Wir fahren morgen aufs Land, <u>wenn das Wetter schön ist</u>.

B Make up ten sentences starting with the words **Ich fahre . . .**, and using combinations of the phrases below. Make sure that you apply the rule of **Time/Manner/Place**. Say what each of your sentences means in English:
Ich fahre:

> heute/nach Bonn/mit dem Zug/in die Stadtmitte/morgen/heute vormittag/mit dem Bus/heute abend/später/mit der Straßenbahn/zu meinen Großeltern/mit dem Auto/auf meinem Fahrrad/zum Schwimmbad/übermorgen/heute nachmittag/zum Sportzentrum/

> zum Zoo/mit der U-Bahn/am Wochenende/aufs Land/am Samstag vormittag/auf meinem Moped.

C Decide whether the joining word should be **aber** or **sondern**. Then say what the sentences mean in English:
1 Ich möchte gern mitkommen, *aber/sondern* ich kann nicht.
2 Das ist nicht um 10.00 Uhr, *aber/sondern* um 10.30 Uhr.
3 Unser Klassenlehrer heißt nicht Hoffman, *aber/sondern* Hauptmann.
4 Die Party ist nicht beim Gerd, *aber/sondern* beim Rainer.
5 Ich wollte ins Konzert gehen, *aber/sondern* es war total ausverkauft.
6 Meine Eltern sprechen kein Wort Deutsch, *aber/sondern* ich spreche es ziemlich gut.
7 Wir müssen zahlen, *aber/sondern* es ist gar nicht teuer.
8 Das ist nicht billig, *aber/sondern* sehr teuer.

D a Join the following sentences with the words in brackets. Remember to change the word order in the second clause. Then say what they mean in English:
e.g. Ich komme nicht mit. (**weil**)
      Ich bin krank.
      Ich komme nicht mit, **weil ich krank bin**.
1 Wir müssen zu Fuß gehen. (*weil*) Das Auto hat eine Panne.
2 Ich weiß nicht. (*ob*) Das Museum ist offen.
3 Ich warte. (*bis*) Du bist fertig.

4 Ich wußte nicht. (*daß*) Es ist hier so schön.

5 Ich kaufe es nicht. (*weil*) Ich habe nicht genug Geld.

b Suggest endings for these sentences. Be careful with the word order in the section you add. Say what the sentences mean in English:

e.g. Ich weiß nicht, **wo ...**
Ich weiß nicht, **wo die Haltestelle ist**.

Ich weiß nicht, Weißt du, Wissen Sie,	wo ... wann ... warum ... wohin ... was ... wie ... um wieviel Uhr ... wer ... ob ...	(?)

E Decide whether **wenn**, **wann** or **als** is appropriate to complete the following sentences. Then say what the sentences mean in English:

1 _____ ich jünger war, sammelte ich Briefmarken.

2 _____ ich Zeit habe, gehe ich schwimmen.

3 Ich nehme den Bus zur Schule, _____ es regnet.

4 Ich weiß nicht, _____ die Vorstellung beginnt.

5 Wir können in die Stadt fahren, _____ du willst.

6 Ich sah ihn gestern, _____ ich im Jugendklub war.

7 Ich habe keine Ahnung, _____ der Bus fährt.

8 Ich möchte die Burg besichtigen, _____ das möglich ist.

Prepositions

36 Prepositions with the accusative

Apart from indicating the direct object of the verb, the accusative (**den**, **die**, **das**, etc.) is used after certain prepositions. The most common are:

für for
durch through
ohne without
um around
gegen against
bis an up to
entlang* along

e.g. **für meinen** Bruder
 durch den Wald
 um die Ecke

37 Prepositions with the dative

The most common prepositions which always take the dative are:

aus out of, from
bei at_____'s house, shop
mit with
nach after, to
seit since
von from
zu to
gegenüber† opposite

e.g. **aus dem** Haus
 mit meiner Freundin
 nach der Schule

The following contractions are usually made:

zu dem → **zum**
zu der → **zur**
bei dem → **beim**
von dem → **vom**
Notice also the expression (**an** + dative) **vorbei** which means 'past':
e.g. **am** Bahnhof **vorbei**

---

* **Entlang** usually follows the noun, e.g. Er geht **die Straße entlang**.
† **Gegenüber** usually follows the noun, e.g. **dem Bahnhof gegenüber**.

38 Prepositions with the accusative and the dative

Certain prepositions take either the accusative or the dative according to their meaning. With the *dative* they answer the question **wo**? and tell you where something or someone is. With the *accusative* they answer the question **wohin**? and tell you where something or someone is going or moving to.

in   in; into
an   at, on; up to, over to, on to
auf   on; on to
hinter   behind; (going) behind
vor   in front of; (going) in front of
unter   under; (going) under
über   above, over; (going) over, across
zwischen   between; (going) between
neben   near, next to, beside; (down) beside, next to

Karl ist **im** Garten *but* Er geht **in den** Garten.
Es steht **auf dem** Boden *but* Es fällt **auf den** Boden.
Er steht **am** Fenster *but* Er geht **ans** Fenster.

Note the following contradictions:

in dem→**im**   an dem→**am**
in das →**ins**   an das →**ans**

There are many cases where German is far more accurate than English in its application of **wohin**?, when the question is answered using one of the above prepositions with the accusative. Here are a few examples:

Wohin hängt er seinen Mantel? – in **den** Schrank/in **die** Ecke/hinter **die** Tür.
Wohin schreibt er? – In **ein** Heft/an **die** Tafel.
Wohin setzt er sich? – In **den** Lehnstuhl/aufs Sofa/neben **mich**.

Compare these with the following:

Wo hängt sein Mantel? – **Im** Schrank/in **der** Ecke/hinter **der** Tür.
Wo steht die Übung? – **Im** Heft/an **der** Tafel

Wo sitzt er? – **Im** Lehnstuhl/auf **dem** Sofa/neben **mir**.

39 Prepositions with the genitive

Some prepositions are followed by the genitive case. Some common ones are:
trotz, wegen, während, statt, außerhalb, innerhalb
e.g.   **während** meines kurzen Aufenthalt(e)s;
        trotz des schlechten Wetters;
        wegen* seiner Krankheit

40 Prepositional objects

Some verbs are associated with certain prepositions; they are said to have prepositional objects. Unfortunately the prepositions are often quite different from their English equivalents and need to be learnt carefully along with the cases they require. The following are very common:

denken an + accusative
   to think of (i.e. have in mind)
halten von + dative
   to think of (i.e. to rate)
warten auf + accusative
   to wait for
bitten um + accusative
   to ask for (i.e. request)
fragen nach + dative
   to ask about (i.e. to make enquiries about)
ankommen in + dative
   to arrive in, at
vorbeigehen an ⎱
vorbeifahren an ⎰ + dative
   to go past
Angst haben vor + dative
   to be afraid of
sich freuen auf + accusative
   to look forward to
sich freuen über + accusative
   to be happy about
sich erinnern an + accusative
   to remember

* **Wegen** can precede or follow the noun i.e. **wegen seiner Krankheit** or **seiner Krankheit wegen**.

schreiben an + accusative
   to write to
e.g. Du solltest **an deine** Eltern **denken**.
     Was **hältst** du **von meiner** Jacke?
     Darf ich **um** Feuer **bitten**? *etc.*

Notice how, when things rather than people are referred to, a special interrogative (question word) is used, formed from **wo-** or **wor-** + a preposition, instead of a preposition + **wen**? or **wem**?:
e.g. **Auf wen** wartest du?
     (i.e. *who(m)?*)
     Worauf wartest du? (i.e. *what?*)
     An wen denkst du?
     (i.e. *who (m)?*)
     Woran denkst du? (i.e. *what?*)

A similar difference is found when these verbs are used with a pronoun; when referring to things, pronouns are formed from **da-** or **dar-** + a preposition:
e.g. Ich warte jetzt **auf ihn**.
     (i.e. *person*)
     Ich warte jetzt **darauf** (i.e. *thing*)
     Ich denke oft **an sie**. (i.e. *person*)
     Ich denke oft **daran**. (i.e. *thing*)

A Fill in the gaps with the correct form of the definite article (**der**, **die**, **das**, etc.), making any contractions you can. Then say what the phrases mean:
für _____ Schule; um _____ Ecke; mit _____ Straßenbahn; aus _____ Kino; nach _____ Party; vor _____ Schule; _____ Fluß entlang; _____ Post gegenüber; durch _____ Wald; mit _____ Bus; von _____ Bahnhof; zu _____ Hotel; seit _____ Konzert; nach _____ Film; ohne _____ Auto; für _____ Picknick.

B Decide whether the accusative or dative is the appropriate case to use in these sentences. Say what they

---

mean in English:
1 Möchtest du *ins/im* Kino gehen?
2 Ich habe es *in den/im* Zug liegen lassen.
3 Fahren Sie über *die/der* Brücke.
4 Das liegt zwischen *den/dem* Supermarkt und *die/der* Apotheke.
5 Laß uns *in den/im* Park gehen!
6 Es ist *in die/in der* Küche *auf den/auf dem* Tisch.
7 Setzen Sie sich *aufs/auf dem* Sofa!
8 Ein Zehnmarkstück ist *unter den/unter dem* Kühlschrank gerollt.

C Complete these sentences by adding suitable prepositions. Then say what they mean in English:
1 Ich warte _____ meinen Freund.
2 Ich schreibe _____ meine Eltern.
3 Wann kommen wir _____ Köln an?
4 Ich freue mich _____ die Party.
5 Was hältst du _____ der Stadt?

Adjectives

41 Possessive adjectives
Possessive adjectives (*my, your,* etc.) follow the pattern of **ein, eine, ein**. They are as follows:

m	f	n	pl	
mein	meine	mein	meine	*my*
dein	deine	dein	deine	*your*
sein	seine	sein	seine	*his*
ihr	ihre	ihr	ihre	*her*
unser	unsere	unser	unsere	*our*
euer	euere	euer	euere	*your*
Ihr	Ihre	Ihr	Ihre	*your*
ihr	ihre	ihr	ihre	*their*

42 Comparative of adjectives

Regular adjectives form the comparative, as in English, by adding **-er**. In German an Umlaut (¨) is also added wherever possible:

e.g. klein → klein**er**
     groß → größ**er**

Note these irregular comparatives:

gut → **besser**
viel → **mehr**
hoch → **höher**

The comparison is made with **als**:

e.g. Ich bin kleiner **als** er.
     Er ist größer **als** mein Bruder.

Note that both people or things being compared are in the same case (i.e. the nominative)

43 Superlative of adjectives

The superlative form of German adjectives is similar to the form used in English: **-st** or **-est*** is added to the original adjective and an Umlaut is usually added wherever possible:

e.g. klein → kleiner → **kleinst-**
     jung → jünger → **jüngst-**
     alt → älter → **ältest-**

Since the superlative will normally be used with the definite article (the biggest, the smallest, etc.) the appropriate adjectival ending must be used (see note below on adjectival endings):

e.g. **das** jüngste Kind, **die** älteste Frau, etc.

The following irregular superlatives should be noted:

groß → größer → **größt-**
gut → besser → **best-**
hoch → höher → **höchst-**
nah → näher → **nächst-**
viel → mehr → **meist-**

There are times when the superlative of an adjective has the meaning 'at its best', 'at one's tiredest', 'at their most beautiful',

etc. This is expressed by the German **am besten**, **am müdesten**, **am schönsten**, etc.

44 Adjectival endings

When an adjective and the noun it describes are separated by a verb, the adjective does not change:

Karl ist **groß**.
Die Kinder werden **groß**.

However, when an adjective stands next to a noun, certain endings must be added to the adjective according to the gender and the case of the noun. These endings need to be learnt carefully and are set out in the tables on pp.191–2.

45 Adjectives used as nouns

A number of adjectives can be used to form nouns. They start, of course, with a capital letter, and require adjectival endings of the kind mentioned above:

e.g. deutsch → **ein** Deutsch**er** (a German)
     alt → **ein** Alt**er** (an old man), etc.

A typical example of this kind of noun is given in full in the table on p.191. Nouns which follow this pattern are indicated in the end vocabulary.

46 Etwas/nichts/wenig/viel + adjective

Etwas and **nichts** are invariable, i.e. they always remain the same. So, too, are **wenig** and **viel** in the singular. However, when they are followed by an adjective (*something cheap*, *nothing interesting*, etc.), the adjective must have a strong neuter ending. In most cases the adjective is written with a capital letter. Although separate genitive and dative forms exist, they are not likely to be needed:

e.g. Es gibt **etwas Interessantes** im Fernsehen.
     Er hat **nichts Wichtiges** gesagt.
     Es gab **viel/wenig Preiswertes** auf dem Markt.

Ander is a common exception to the capital letter rule:

* Adjectives ending in **-d**, **-s**, **-ß**, **-sch**, **-t**, or **-tz** end in **-est**.

Ich will etwas **anderes.**
Haben Sie nichts **anderes**?
Comparative adjectives can be used in the same way:
e.g. Haben Sie nichts **Billigeres/Besseres**?

Adverbs

47 Formation
Most German adjectives can be used as adverbs without any alteration being made to them:
e.g. Sie ist **schön**, *but also*: Sie singt **schön.**
Ein **schneller** Schwimmer, *but also*: Er schwimmt **schnell.**
Sometimes this sounds wrong to English ears:
Er ist ein **guter** Schwimmer, *but also*: Er schwimmt **gut.**

48 Comparison of adverbs
The comparative of adverbs is formed in exactly the same way as adjectives (see p.00).
e.g. Er singt **schöner** als sie.
Ich laufe **schneller** als er.

49 Superlative of adverbs
The superlative form of the adverb is the same as the alternative superlative form for adjectives explained on p.186.
e.g. Sie singt **am schönsten.**
Ich laufe **am schnellsten.**

The following common irregular adverbs should be noted:

bald	→ **früher**	→ **am frühesten**
gern	→ **lieber**	→ **am liebsten**
gut	→ **besser**	→ **am besten**
viel } sehr }	→ **mehr**	→ **am meisten**

A Compare the following people and things using the comparative and superlative of the adjectives given in brackets.
e.g. (*nett*) Karl/Andreas/Rainer
Karl is **nett.** Andreas is **netter** als Karl. Aber Rainer ist **der netteste.**
1 (*groß*) Peter/Markus/Richard
2 (*schön*) Monikas Haus/Marias Haus/Utes Haus
3 (*gut*) Davids Deutsch/Brians Deutsch/Jeffs Deutsch
4 (*interessant*) die Burg/die Mühle/das Museum
5 (*teuer*) die Disko/das Kino/das Popkonzert
6 (*billig*) Muttis Geschenk/Vatis Geschenk/Omas Geschenk

B Compare the following people's performances by using the comparatives and superlatives of the adverbs given in brackets.
e.g. (*schnell tippen*) Ich/Mutti/Vati
Ich tippe **schnell.** Mutti tippt **schneller** als ich. Vati tippt **am schnellsten.**
1 (*fleißig arbeiten*) Wolfgang/Michael/Dieter
2 (*spät ins Bett gehen*) Ich/mein Bruder/meine Schwester
3 (*früh aufstehen*) Ich/meine Mutter/mein Vater
4 (*gut Deutsch sprechen*) Mary/Emma/Georgina

C Fill in the gaps with the correct adjectival endings. Then say what the sentences mean in English:
1 Wir haben eine klein___ Wohnung.

►

◀

2 Unser Deutschlehrer ist ein sehr nett__ Mann.

3 Ich habe mein eigen__ Zimmer.

4 Wir haben einen groß__ Garten.

5 Unser Haus liegt in einem klein__ Dorf.

6 Haben Sie etwas Billiger__?

7 Das ist in der nächst__ Straße links.

8 Das war ein phantastisch__ Abend!

9 Was für eine langweilig__ Stunde!

10 Das ist auf der ander__ Seite.

11 Die ander__ Kinder kommen später.

12 Gibt es ander__ Hotels im Dorf?

Miscellaneous

50 Jobs and nationalities

When speaking about people's jobs and nationalities it is usual to omit **ein(e)**:

e.g. Mein Vater ist **Briefträger**.
Ich bin **Engländer(in)**.
Sie sind **Deutsche**.

However, **ein(e)** is included when there is an adjective with the noun:

e.g. Er ist **ein guter Lehrer**.
Sie ist **keine gute Lehrerin**.

51 Use of ß

Most examination boards make the use of ß optional. However, for reference, the following rules apply.

ß is used:
— at the end of a word e.g. **Fuß**, **muß**.
— before the letter **t** e.g. **heißt**, **ißt**.
— after a long vowel e.g. **heiße**, **große**.

In all other cases **ss** is used.

52 Expressions of quantity

Expressions of quantity which require *of* in English (a bottle *of*, a pound *of*, etc.) do not require an equivalent preposition in German:

e.g. Ich kaufe eine Flasche Wein, ein Pfund Hackfleisch und 250 Gramm Bierwurst.
20 Liter Super, bitte!

53 Accusative in time expressions

In German the accusative is usually used to express the length of time something goes on for, i.e. answering the question **wie lange**?

e.g. Wie lange warst du dort?
Ich war **einige Stunden/den ganzen Abend/einen Monat/ein ganzes Wochenende** dort.

54 Most of/both of

The expressions *most of* and *both of* are both adjectives in German: **meist-** and **beid-**.

Consequently they must have the appropriate adjectival endings (see pp.191–2).

e.g. most of the time → **die meiste** Zeit
most of the schoolchildren → **die meisten** Schüler
both children → **die beiden | Kinder
beide |**

55 Genitive expressing indefinite times

The genitive case is often used to express indefinite time; this is the equivalent of the kind of expressions one hears in certain English dialects ('I go(es) there *of a Saturday* afternoon').

One way it is used is to refer to a particular, but unspecified, time, i.e. 'one day', 'one morning', etc.:

eines Tages, eines Morgens, eines Nachmittags, eines Abends

These expressions can include an adjective:

Eines bitterkalten Dezemberabends ...
Eines herrlichen Sommertages ...
It can also be used with parts of the day to indicate when something occurred, either once or regularly, i.e. 'in the morning', 'every morning':

morgens, vormittags, nachmittags, abends, nachts

These are adverbs and therefore do not have capital letters.

The last of these, which means 'in the night', 'at night', is not the grammatically correct genitive form of **die Nacht**, but is formed by analogy with the others.

The genitive is also used in similar fashion with the days of the week, meaning 'on Monday(s)', 'every Monday', etc.:

montags, dienstags, mittwochs, etc.

56 Apposition

When a noun stands in apposition to another (i.e. stands next to it to give more information about it) it must be in the *same case* as the first noun:

e.g. **Herr** Schmidt, **der** Schulleiter, ist krank.
Kennen Sie **Herrn** Schmidt, **unseren** Schulleiter?
Das ist das Haus **meines** Freundes, **des** Deutschlehrers.
Er spricht mit **seiner** Freundin, **der** Ärztin.

57 Ago

The idea of *ago* is expressed in German by using the preposition **vor** + *dative*.

e.g. **vor einer** Woche
vor drei Jahren, etc.

58 Seit wann?

One way of expressing in German *how long* someone has been doing something (e.g. I have been waiting for an hour, living here for ten years, etc.) is to use the *present tense* with **seit** + dative (literally *I am _____ ing since* + a certain length of time).

Questions about this are also framed in the present tense:

e.g. Seit wann **lernst** du Deutsch?
Ich **lerne** es schon seit drei Jahren.
Seit wann **wartest** du?
Ich **warte** erst seit fünf Minuten.
Ich **warte** seit fast einer halben Stunde.

A Carry out the following instructions in German:
Say that ...

1 ... you are English (Scottish, Welsh, etc.).
2 ... most of the children are Germans, but a few are English.
3 ... your father is a taxi driver (or another occupation).
4 ... your mother is a secretary (or another occupation).
5 ... you think your German teacher is a good teacher.
6 ... your physics teacher is a strict teacher.
7 ... you go to the youth club on Mondays.
8 ... you do homework in the morning, play tennis in the afternoon, and go out in the evening.
9 ... you have bought a kilo of apples, a bottle of mineral water and a pound of ham.
10 ... you want 25 litres of four-star petrol.
11 ... you've been learning German for two and a half years.
12 ... you've been playing the piano (or another instrument) for five years.
13 ... you wrote a letter a month ago.
14 ... you went to Germany 18 months ago.

Useful lists

59 Cardinal numbers (Grundzahlen)

eins
zwei
drei
vier
fünf
sechs
sieben
acht
neun
zehn
elf
zwölf
dreizehn
vierzehn
fünfzehn
sechzehn
siebzehn
achtzehn
neunzehn
zwanzig
einundzwanzig
zweiundzwanzig,
etc.

dreißig
einunddreißig, etc.
vierzig
fünfzig
sechzig
siebzig
achtzig
neunzig
hundert
hundert(und)ein(s)
hundert(und)zwei,
etc.
zweihundert
dreihundert, etc.
tausend(und)ein(s)
tausend(und)zwei,
etc.
eine Million

60 Ordinal numbers (Ordnungszahlen)

der | erste
die | zweite
das | dritte
 | vierte
 | fünfte
 | sechste
 | siebte
 | achte, etc.
 | neunzehnte
 | zwanzigste
 | einundzwanzigste, etc.
 | hundertste
 | tausendste

61 The date (das Datum)

Der wievielte ist heute? – **Der** erste Mai
Den wievielten haben wir heute?
    – **Den** ersten Mai (**den 1**. Mai)
Wann hast du Geburtstag? – **Am** ersten
Mai
Wie lange bleiben Sie dort?
    – **Vom** ersten bis **zum** vierzehnten
    Mai

62 The days of the week (die Wochentage)

(der) Montag
    Dienstag
    Mittwoch
    Donnerstag
    Freitag
    Samstag/Sonnabend
    Sonntag
das Wochenende
am Montag, etc
am Wochenende

63 The months (die Monate)

(der) Januar/Jänner   Juli
    Februar   August
    März   September
    April   Oktober
    Mai   November
    Juni/Juno   Dezember
im Januar, etc.

64 The seasons (die Jahreszeiten)

(der) Frühling
    Sommer
    Herbst
    Winter
im Frühling, etc.

65 Clock times (die Uhrzeit)

Wie spät ist es?/Wieviel Uhr ist es?
a *Ordinary*
Es ist | ein Uhr
 | fünf (Minuten) nach eins
 | zehn (Minuten) nach eins
 | Viertel nach eins

zwanzig (Minuten) nach eins*
fünfundzwanzig (Minuten) nach
   eins*
halb zwei
fünfundzwanzig (Minuten) vor
   zwei*
zwanzig (Minuten) vor zwei*
Viertel vor zwei
zehn (Minuten) vor zwei
fünf (Minuten) vor zwei
zwei Uhr, etc.

Wann/Um wieviel Uhr kommt er?
Er kommt **um** zwei (Uhr), etc.
b *24-hour*
Der Zug fährt um | null Uhr
   fünfundfünfzig
ein Uhr zwanzig
dreizehn Uhr dreißig
vierundzwanzig Uhr
zehn, etc.

* These times are expressed colloquially as:

Es ist | zehn vor halb zwei
fünf vor halb zwei
fünf nach halb zwei
zehn nach halb zwei

Noun declensions and adjectival endings

Masculine (strong)

	Singular	Plural		Singular	Plural
N	der Mann	die Männer		der Junge	die Jungen
A	den Mann	die Männer		den Jungen	die Jungen
G	des Mannes	der Männer		des Jungen	der Jungen
D	dem Mann	den Männern		dem Jungen	den Jungen

Masculine (weak)
(see above)

Feminine   Feminine   Neuter

	Singular	Plural	Singular	Plural	Singular	Plural
N	die Frau	die Frauen	die Stadt	die Städte	das Haus	die Häuser
A	die Frau	die Frauen	die Stadt	die Städte	das Haus	die Häuser
G	der Frau	der Frauen	der Stadt	der Städte	des Hauses	der Häuser
D	der Frau	den Frauen	der Stadt	den Städten	dem Haus	den Häusern

Adjectives used as nouns

	Masculine	Feminine	Plural
N	der Deutsche	die Deutsche	die Deutschen
A	den Deutschen	die Deutsche	die Deutschen
G	des Deutschen	der Deutschen	der Deutschen
D	dem Deutschen	der Deutschen	den Deutschen
N	ein Deutscher	eine Deutsche	Deutsche
A	einen Deutschen	eine Deutsche	Deutsche
G	eines Deutschen	einer Deutschen	Deutscher
D	einem Deutschen	einer Deutschen	Deutschen

Adjectives after der, die, das; dieser, diese, dieses, etc.

	Masculine	*Feminine*	*Neuter*	*Plural*
N	der junge Mann	die schöne Frau	das kleine Haus	die jungen Leute
A	den jungen Mann	die schöne Frau	das kleine Haus	die jungen Leute
G	des jungen Mannes	der schönen Frau	des kleinen Hauses	der jungen Leute
D	dem jungen Mann	der schönen Frau	dem kleinen Haus	den jungen Leuten

Adjectives after ein, eine, ein; kein, keine, kein, etc.

	Masculine	*Feminine*	*Neuter*
N	ein junger Mann	eine schöne Frau	ein kleines Haus
A	einen jungen Mann	eine schöne Frau	ein kleines Haus
G	eines jungen Mannes	einer schönen Frau	eines kleinen Hauses
D	einem jungen Mann	einer schönen Frau	einem kleinen Haus

Adjectives standing on their own in front of a noun

	Masculine	*Feminine*	*Neuter*	*Plural*
N	deutscher Wein	deutsche Butter	deutsches Bier	deutsche Würste
A	deutschen Wein	deutsche Butter	deutsches Bier	deutsche Würste
G	deutschen Weines	deutscher Butter	deutschen Bieres	deutscher Würste
D	deutschem Wein	deutscher Butter	deutschem Bier	deutschen Würsten

IRREGULAR VERBS

The following list includes all the irregular verbs which occur in the book. Meanings and other relevant details are given in the end vocabulary and an asterisk refers the student to this list. Where not specifically given, compound nouns should be deduced from the simple form, e.g. **abbiegen** from **biegen**; **verbringen** from **bringen**; **verstehen** from **stehen**, etc.

Infinitive	Irreg. present	Imperfect	Perfect
beginnen		begann	hat begonnen
beißen		biß	hat gebissen
betrügen		betrog	hat betrogen
biegen		bog	hat gebogen
bieten		bot	hat geboten
binden		band	hat gebunden
bitten		bat	hat gebeten
blasen	bläst	blies	hat geblasen
bleiben		blieb	ist geblieben
brechen	bricht	brach	hat gebrochen
brennen		brannte	hat gebrannt
bringen		brachte	hat gebracht
denken		dachte	hat gedacht

* The past participles of auxiliary verbs of mood (**dürfen, mögen, müssen, wollen, sollen**) is replaced by its infinitive when immediately preceded by an infinitive. This is also true of **lassen**. e.g. Er **hat** es **gedurft** *but* Er **hat** nicht **mitgehen dürfen**

Infinitive	Irreg. present	Imperfect	Perfect
dürfen*	darf, darfst, darf	durfte	hat gedurft / dürfen
empfehlen	empfiehlt	empfahl	hat empfohlen
essen	ißt	aß	hat gegessen
fahren	fährt	fuhr	ist gefahren
fallen	fällt	fiel	ist gefallen
fangen	fängt	fing	hat gefangen
finden		fand	hat gefunden
fliegen		flog	ist geflogen
fließen		floß	ist geflossen
fliehen		floh	ist geflohen
frieren		fror	hat gefroren
geben	gibt	gab	hat gegeben
gehen		ging	ist gegangen

Infinitive	Irreg. present	Imperfect	Perfect
gelingen		gelang	ist gelungen
gelten	gilt	galt	hat gegolten
genießen		genoß	hat genossen
geschehen	geschieht	geschah	ist geschehen
gewinnen		gewann	hat gewonnen
graben	gräbt	grub	hat gegraben
greifen		griff	hat gegriffen
haben	habe, hast, hat	hatte	hat gehabt
halten	hält	hielt	hat gehalten
hängen		hing	hat gehangen
heben		hob	hat gehoben
heißen		hieß	hat geheißen
helfen	hilft	half	hat geholfen
kennen		kannte	hat gekannt
kommen		kam	ist gekommen
können	kann, kannst, kann	konnte	hat | gekonnt / können
laden	lädt	lud	hat geladen
lassen	läßt	ließ	hat gelassen
laufen	läuft	lief	ist gelaufen
leiden		litt	hat gelitten
leihen		lieh	hat geliehen
lesen	liest	las	hat gelesen
liegen		lag	hat gelegen
lügen		log	hat gelogen
meiden		mied	hat gemieden
mißlingen		mißlang	ist mißlungen
mögen	mag, magst, mag	mochte	hat | gemocht / mögen
müssen	muß, mußt, muß	mußte	hat | gemußt / müssen
nehmen	nimmt	nahm	hat genommen
nennen		nannte	hat genannt
raten	rät	riet	hat geraten
reißen		riß	hat gerissen
reiten		ritt	ist geritten
rennen		rannte	ist gerannt
rufen		rief	hat gerufen
saugen	säugt	sog	hat gesogen
scheiden		schied	hat | geschienen / gescheint
scheinen		schien	
schlafen	schläft	schlief	hat geschlafen
schlagen	schlägt	schlug	hat geschlagen
schließen		schloß	hat geschlossen

Infinitive	Irreg. present	Imperfect	Perfect
schneiden		schnitt	hat geschnitten
schreiben		schrieb	hat geschrieben
schreien		schrie	hat geschrien
sehen	sieht	sah	hat gesehen
sein	bin, bist, ist	war	ist gewesen
senden		sandte	hat gesandt
sitzen		saß	hat gesessen
sollen	soll, sollst, soll	sollte	hat gesollt / sollen
sprechen	spricht	sprach	hat gesprochen
stehen		stand	hat gestanden
stehlen	stiehlt	stahl	hat gestohlen
steigen		stieg	ist gestiegen
sterben	stirbt	starb	ist gestorben
stoßen	stößt	stieß	hat gestoßen
streichen		strich	hat gestrichen
tragen	trägt	trug	hat getragen
treffen	trifft	traf	hat getroffen
treiben		trieb	hat getrieben
treten	tritt	trat	ist getreten
trinken		trank	hat getrunken
tun		tat	hat getan
überwinden		überwand	hat überwunden
vergessen	vergißt	vergaß	hat vergessen
verlieren		verlor	hat verloren
verschwinden		verschwand	ist verschwunden
verzeihen		verzieh	hat verziehen
wachsen	wächst	wuchs	ist gewachsen
waschen	wäscht	wusch	hat gewaschen
weisen		wies	hat gewiesen
wenden		wandte	hat gewandt
werden	werde, wirst, wird	wurde	ist geworden
werfen	wirft	warf	hat geworfen
wiegen		wog	hat gewogen
wissen	weiß, weißt, weiß	wußte	hat gewußt
ziehen		zog	hat gezogen

German–English vocabulary

This vocabulary contains all but the most common words which appear in the book. Where a word has several meanings, only those which occur in the book are given.

Verbs marked * are irregular; they, or their root verbs, can be found in the verb list on p.193. Verbs marked with + are conjugated with *sein* in the perfect tense. Nouns marked # are weak masculine nouns; those marked ~ are adjectives used as nouns (see pp. 191-2 for full declensions).

F. indicates a familiar or slang word or expression. Plurals are only given where they might be useful.

If you cannot find a compound noun under its initial letter, try looking up the last part(s) of the word:
e.g. **Rotkohl → Kohl; Fußballmannschaft → Mannschaft.**

If you cannot find a word beginning with or containing **ge-**, it is probably a past participle, and should be look up under its infinitive:
e.g. **ausgerutscht → ausrutschen; geklappt → klappen.**

If you cannot find a word beginning with **un-**, look it up under its positive form:
e.g. **unangenehm → angenehm; unzufrieden → zufrieden**

---

abbiegen * +, to turn off
die **Abbildung (-en)**, illustration
abbürsten, to brush down, off
das **Abendbrot**, supper, tea
das **Abendessen**, evening meal
das **Abenteuer**, adventure
abfahren * +, to depart
die **Abfahrt**, departure
die **Abfälle** *(pl)*, rubbish, litter
der **Abfalleimer**, rubbish bin, litter bin
abgeben *, to hand in
abgemacht, arranged, agreed
abgerissen, ragged
abgewöhnen: sich etwas abgewöhnen, to give up
abhängen * **(von)**, to depend *(on)*
abhauen +, F., to go away, "clear off"
abheben *, to pick up; to draw out *(money)*
abholen, to fetch, pick up
das **Abitur**, school-leaving exam *(similar to A level)*
abkommen * + **(von)**, to leave
ablehnen, to turn down
die **Abreise**, departure
absagen, to cancel, call off
abschicken, to send off, post
abschleppen, to tow (away)
das **Abschleppseil**, tow rope
abseits, away from; remote; off side
abspülen, to wash up
abstellen, to turn off; park
das **Abteil (-e)**, compartment
abtrocknen, to dry up
ab und zu, now and again
die **Abwechslung**, change
die **Achterbahn**, big dipper
ade: ade sagen, to say goodbye, farewell
ähnlich, similar
die **Ahnung**, idea, clue, notion
alle, F., all gone, used up

allerschlechtest, the very worst
allgemein: im allgemeinen, in general
Alltags-, every day
das **Altersheim**, old people's home
altmodisch, old-fashioned
die **Altstadt**, old part of town
die **Ananas**, pineapple
anbauen, to build an extension; to cultivate
andauernd, continuous, continual
das **Andenken (-)**, souvenir
andererseits, on the other hand
anders, different(ly)
anfahren * +, to run into; to drive up
der **Anfall**, attack
der **Anfang**, beginning
anfangen *, to start, begin
der **Anfänger**, beginner
anfangs, to start with
die **Angaben** *(pl)*, details
angeben *, to give; to show off
angemessen, appropriate(ly)
angenehm, pleasant
angeschlagen, chipped
der **Angestellte~, die Angestellte~**, employee
angucken, F., to look at
anhaben *, to be wearing
die **Anhalterei**, F., hitch-hiking
der **Anhänger**, trailer; supporter; pendant
ankämpfen gegen, to fight against
ankommen * +, to arrive
die **Ankunft**, arrival
die **Anlage**, plant; park; equipment; enclosure *(in letter, etc.)*
anliegend, adjacent
die **Anmeldung**, announcement; registration
die **Annahme**, acceptance; assumption

die **Anreise**, the journey here/there
der **Anruf**, *(telephone)* call
anrufen *, to call *(up)*, phone
die **Anschaffungen** *(pl)*, purchases, acquisitions
anschauen, to look at
anscheinend, apparent(ly)
anschließend, following; afterwards
der **Anschluß**, connection
die **Ansichtskarte (-en)**, post card
Anspruch: in Anspruch nehmen, to claim, take up
anständig, respectable (-bly)
anstossen *, to clink glasses
anstrengend, strenuous
das **Antibeschlagtuch**, demister cloth
antreten *, to begin *(journey)*
der **Antritt**, beginning; taking up
die **Anwendung**, use, application
die **Anzeige**, advertisement
anziehen *, to put on *(clothing)*: **sich anziehen**, to get dressed
die **Apfelsine (-n)**, orange
die **Apotheke**, chemist's *(shop)*
Apparat: X am Apparat, X speaking
die **Arbeitslosigkeit**, unemployment
der **Arbeitsschluß**, end of work
der **Arbeitsvertrag**, contract (of employment)
ärgerlich, annoying; annoyed
ärgern, to make angry, annoyed
arm, poor
Art: aller Art, all kinds of
das **Arzneimittel**, drug
der **Arzt, die Ärztin**, doctor
Atem: außer Atem, out of breath
aufbauen, to build *(up)*

196

aufbewahren, to keep, look after

der **Aufenthalt,** stay

der **Aufenthaltsraum,** day room

auffahren* + auf, to run, crash into

auffallen* +, to strike, catch the attention

aufführen, to perform, put on

aufgeben*, to give up; to post

aufgeregt, exciting

aufgezogen (see aufziehen)

sich **aufhalten*,** to stop

aufheben*, to lift up

aufhören, to finish, stop, end

die **Auflösung,** clearing up

aufmachen, to open

die **Aufmerksamkeit,** attention

aufpassen, to be careful; **aufpassen auf,** to look after

aufräumen, to clear, tidy up

aufregend, exciting

sich **aufrichten,** to stand straight, sit up straight

der **Aufschlag,** surcharge

der **Aufschnitt,** sliced cold meat

aufsetzen, to put on

Aufsicht: unter Aufsicht, under supervision

die **Aufsichtspflicht,** (parental) responsibility

aufstehen* +, to get/stand up

auftauchen +, to appear, turn up

aufziehen*, to tease; to wind up

Auge: ein blaues Auge, black eye

der **Augenblick,** moment

der **Augenzeuge#,** eye witness

die **Aula,** hall

die **Ausbildung,** training

der **Ausblick,** view; prospect

ausdrücken, to express

sich **auseinandersetzen,** to quarrel

ausfallen* +, to be cancelled

der **Ausflug,** trip, outing

ausführlich, detailed, full

ausfüllen, to complete

die **Ausgabe,** distribution; edition; counter

ausgeben*, to spend

ausgeglichen, well-balanced

ausgerechnet, ... of all ... (e.g. **ausgerechnet mir,** to me of all people)

ausgeschildert, signposted

ausgezeichnet, excellent

aushalten: es aushalten, to bear, stand it

die **Aushändigung,** handing over, giving out

die **Aushilfstätigkeit,** temporary job

sich **auskennen (in),** to know a lot (about)

auskommen: gut auskommen mit, to get along well with

die **Auskunft,** information

die **Auskunftsstelle,** information office

sich **ausleihen,** to borrow

ausnahmsweise, for a change

der **Auspuff,** exhaust

ausreichend, satisfactory

ausrichten, to pass on (message)

sich **ausruhen,** to rest

die **Ausrüstung,** equipment

ausrutschen +, to slip

sich **ausschlafen,** to sleep well

ausschließen*, to exclude

aussehen*, to look, appear

außer, apart from

außerdem, besides

außergewöhnlich, unusual, remarkable

außerhalb von, outside of

aussetzen, to offer

die **Aussicht (-n),** view; prospect

sich **aussprechen*,** to say what's on one's mind

die **Ausstattung,** furnishings, fittings

aussteigen* +, to get out

ausstellen, to make, write out

der **Austausch,** exchange

austeilen, to hand out

austragen*, to deliver

ausüben, to perform (job)

die **Auswahl,** selection

auswählen, to choose

die **Ausweichmöglichkeit,** alternative; possibility of getting out of the way

das **Autodach (-"-er),** car roof

beladen, loaded up

die **Belastung,** nuisance

der **Beleg,** receipt

belegt: belegte Brote, (open) sandwiches

die **Beleuchtung,** lighting

beliebig: beliebig häufig, as often as you like

beliebt, popular

die **Belohnung,** reward

bemalen, to paint, decorate

bemerken, to notice

die **Bemerkung,** remark

sich **benehmen*,** to behave

benötigen, to need

benutzen, benützen, to use

das **Benzin,** petrol

bequem, comfortable

beraten*, to advise

der **Bereich,** area

bereits, already

der **Berg (-e),** hill, mountain

die **Bergziege (-n),** mountain goat

berücksichtigen, to consider

der **Beruf,** job, profession

die **Berufsaussichten (pl),** job prospects

berufstätig, working

berühmt, famous

beschäftigt, busy

Bescheid: Bescheid sagen, to inform, let know

die **Bescherung,** giving out of Christmas presents

beschmieren, to spread; to bedaub

beschreiben*, to describe

die **Beschreibung,** description

sich **beschweren,** to complain

besetzt, engaged, occupied

besichtigen, to look around

besitzen*, to possess

besonders, especially

besorgen, to get, acquire

besprechen*, to discuss

das **Besteck,** cutlery

bestehen*, to pass (exam): **bestehen aus,** to consist of

bestellen, to order

bestimmt, certainly: **bestimmt für,** intended for

der **Beton,** concrete

der **Betrag,** sum, amount

die **Betreuung,** care, looking after

der **Betrieb,** business, factory; working, operation; bustle: **außer Betrieb,** out of action

betrunken, drunk

die **Bettwäsche,** bed linen

der **Beutel,** bag, pocket

der **Bevollmächtigte~,** authorised representative

bevorzugen, to favour, prefer

sich **bewegen,** to move

die **Bewegung,** movement

bewölkt, cloudy

bezahlen, to pay

die **Bezeichnung,** description

Beziehung: durch Beziehungen, by knowing the right people

beziehungsweise, or; and ... respectively

bezüglich, regarding

bezw = beziehungsweise

ein **Bierchen,** a beer, drink

der **Bierkrug,** beer mug, tankard, "stein"

bieten*, to offer

die **Bildschirmauskunft,** information on TV screen

billig, cheap
der **Bioladen**, health food shop
die **Birke (-n)**, birch (tree)
die **Birne (-n)**, pear; (light) bulb
bisher, until now
ein **bißchen**, a bit
bitten*, to ask
die **Blase**, blister
bleiben* +, to stay
bleifrei, lead-free
der **Blick**, glance
der **Blitz**, lightning
blöd, stupid
die **Blondine**, blond
bloß, simply
der **Blumenkohl**, cauliflower
bluten, to bleed
die **Bockwurst**, bockwurst (type of sausage)
die **Bö (-en)**, **Böe (-n)**, gust (of wind)
die **Bohne (-n)**, bean
borgen, to borrow
die **Börse**, purse
böse, angry
der **Brand**, fire
die **Bratkartoffel(-n)**, fried, sauté potato(es)
die **Bratwurst**, (fried) sausage
brauchen, to need
brav, well-behaved
die **BRD**, German Federal Republic
breit, wide
bremsen, to brake
das **Brennholz**, wood (for burning)
Brett: das schwarze Brett, noticeboard
der **Brieffreund**, penfriend
die **Briefmarke**, stamp
die **Brieftasche**, wallet
der **Briefträger**, postman
die **Brille**, (pair of) glasses
die **Brücke**, bridge
buchstabieren, to spell
die **Bucht**, bay
das **Büfett**, sideboard
bügeln, to iron
der **Bügelraum**, ironing room
bummeln +, to stroll
das **Bundesgebiet**, federal territory
die **Bundesliga**, national league
die **Bundesrepublik**, Federal Republic
die **Bundesstraße**, federal (i.e. main) road
bunt, colourful, multicoloured
die **Burg**, castle
der **Bürgersteig**, pavement

die **Bürste**, brush
der **Champignon (-s)**, mushroom
die **Chips** (pl), crisps
die **Clique**, group, gang
das **Dach**, roof
das **Dachgeschoß**, attic
dagegen, against it
dahin, there; then
die **Dampferfahrt**, boat trip
danach, afterwards
dankbar, grateful
darf see **dürfen**
Dauer: auf die Dauer, eventually
die **Dauerkarte**, season ticket
dauern, to last
der **Dauerstellplatz**, permanent site
dazu, for that; in addition
der **Deckel**, lid
decken, to cover
denken*, to think
das **Denkmal (-''-er)**, monument
der **Depp**, F., twit
deshalb, therefore
deutlich, clear(ly)
dicht, dense, thick
dick, fat
der **Dieb**, thief
der **Diebstahl**, theft
der **Dienst**, service
(der) **Dienstag**, Tuesday
das **Dingsda**, "whatsit"
der **Donner**, thunder
(der) **Donnerstag**, Thursday
doof, F., daft
die **Doppelstunde**, double period
das **Dorf (-''-er)**, village
dorthin, there, to the place
die **Dose**, tin, can
der **Dosenöffner**, tin-, can-opener
dran: du bist dran, it's your turn
draußen, outside
dreckig, dirty, filthy
dringend, urgent
dritt-, third
die **Drogerie**, chemist's shop
drohen, to threaten
drüben: da drüben, over there
drücken, to press, push
der **Duft**, smell, aroma
dunkel, dark
der **Dunst**, mist, haze
der **Durchfall**, diarrhoea
durchgehend, round-the-clock
die **Durchsage**, announcement
durchsprechen*, to discuss
durchwählen, to dial direct
dürfen*, to be allowed
der **Durst**, thirst
duschen, to have a shower
die **Ecke**, corner

egal: das ist mir egal, I don't mind either way
ehe, before
der **Ehemann**, husband, married man
das **Ehepaar**, married couple
ehrlich, honest
das **Ei (-er)**, egg
die **Eierteigwaren** (pl), pasta
die **Eifersucht**, jealousy
eigen, own
das **Eigentum**, property
der **Eigentümer**, owner
der **Eilzug**, fast stopping train
der **Einbruch**, burglary, break-in
der **Eindruck**, impression
einfach, simple, -ly
einfahren* +, to arrive (train)
die **Einfahrt**, entrance, sliproad; arrival (train)
der **Einfluß**, to influence
einführen, to introduce, establish; import
eingerichtet, equipped, furnished
eingeschlossen, included
einkaufen, to do the shopping
Einkaufs-, shopping
der **Einkaufsbummel**, shopping spree
der **Einkaufszettel**, shopping list
einklemmen, to jam, catch
das **Einkommen**, income
einladen*, to invite
einladend, inviting
die **Einladung**, invitation
einlaufen* +, arrive (train)
einliefern, to deliver
einlösen, to cash (cheque)
einnehmen*, to take (meals, etc.)
einschalten, to turn, switch on
einschl. (einschließlich), inclusive of
einschränken, to reduce, limit
der **Einsendeschluß**, closing date
einsetzen, to put, fit in
einsperren, to lock in, up
einsteigen* +, to get in
der **Eintopf**, stew
der **Eintritt**, entry: admission
das **Eintrittsgeld**, admission fee
einverstanden! agreed! OK!:
einverstanden sein mit, to agree with
die **Einverständniserklärung**, declaration of consent
einwerfen*, to post
Einzel-, single, individual
die **Einzelheit**, detail
einzeln, individual, separate
einzig, single, only

einzigartig, unique
die **Eisbahn**, ice-rink
die **Eisenbahn**, railway
die **Eissporthalle**, ice-rink
eklig, disgusting, revolting
Empfang: in Empfang
nehmen, to receive
der **Empfangsberechtigte**,
authorised recipient
empfehlen *, to recommend
der **Endpreis (-e)**, final price
die **Endrunde**, finals
eng, narrow; tight
der **Enkel, das Enkelkind**,
grandchild
entdecken, to discover
entfernen, to remove
entfliegen * +, to fly away,
escape
enthalten *, to contain
enttäuschen, to disappoint
entweder . . . oder, either . . . or
entwerfen *, to design
entwerten, to cancel (ticket)
das **Entwertungsgerät**, (ticket)
cancelling machine
entwickeln, to develop
erbitten *, to request
das **Erbstück**, heirloom
Erdbeer-, strawberry
das **Erdgeschoß**, ground floor
die **Erdkunde**, geography
erfahren *, to experience
die **Erfahrung**, experience
der **Erfolg**, success
erfolgreich, successful
erforschen, to explore
die **Erfrischungen** (pl),
refreshments
erhalten *, to get, receive
erhöhen, to raise
die **Erhöhung**, rise, increase
erholend, restful
sich **erinnern (an)**, to remember
die **Erkältung**, cold
erkennen *, to recognise
erklären, to explain
erkrankt, ill
erlaubt, permitted
die **Erläuterung**, explanation
erleben, to experience
das **Erlebnis**, experience
erledigen, to deal with
ermäßigt, reduced
ermitteln, to investigate; to
trace
erneut, again, once more
ernst, serious
ernsthaft, serious, earnest
erscheinen *t, to appear
erschreckend, frightening
erst-, first

die **Erstattung**, refund
erstenmal: zum erstenmal,
for the first time
ertönen, to sound, ring out
der **Erwachsene** ~, adult
der **Erwerb**, acquisition
erwischen, F., to catch
der **Erziehungsberechtigte** ~,
parent or (legal) guardian
essen *, to eat
die **Eßwaren** (pl), food, provisions
das **Etui**, case
etwa, about, roughly
euer(e), your
eventuell, possibly, -bly
evtl. = eventuell
die **Fabrik**, factory
das **Fach (-''-er)**, (school) subject
das **Fachwerkhaus**, half-timbered
house
der **Fahrausweis**, ticket
die **Fähre**, ferry
fahren * +, to go, travel, drive
der **Fahrkartenschalter**, ticket
office
das **Fahrrad**, bicycle
die **Fahrt**, journey
Fall: auf jeden Fall, at any rate
falls, if, in case
der **Familienbetrieb**, family
business
die **Farbe**, colour
der **Farbfernseher**, colour TV
(der) **Fasching**, carnival
fast, almost
faul, lazy
faulenzenF., to laze about
der **Faulpelz**, F., lazybones
der **Federball**, badminton
fehlen, to be missing: **was**
fehlt dir? what's up
der **Feierabend**, end of work
feiern, to celebrate
der **Feiertag**, holiday
feindselig, hostile
die **Ferien** (pl), holidays
die **Ferienwohnung**, holiday flat
fern, distant
das **Ferngespräch**, long distance
call
das **Fernlenkboot (-e)**, remote
controlled boat
die **Ferse**, heel
fertigmachen, to get ready
festlegen, to fix, establish
feststellen, to establish
das **Festzelt**, marquee
feucht, damp
Fewo = Ferienwohnung
die **Filiale**, branch
der **Finderlohn**, reward
das **Fischstäbchen**, fish finger

der **Fleck**, stain
das **Fleisch**, meat
die **Fleischerei**, butcher's shop
fleißig, hard-working
die **Fliege**, fly
fliegen *+, to fly
das **Fließband**, conveyor belt
das **Flittchen**, F., slut
die **Flocke (-n)**, flake
die **Flotte**, fleet
der **Flur**, hall; corridor
flüssig, liquid
die **Flüssigkeit**, liquid
folgend, following
der **Fön**, hair dryer
die **Förderung**, help, aid
das **Formular**, form
fortgeschritten, advanced
der **Foto (apparat)**, camera
das **Foto**, photo(graph)
der **Franken**, (Swiss) frank
französisch, French
frech, cheeky
das **Freigehege**, outdoor enclosure
das **Freischach**, outdoor chess
das **Freischwimmbad**, swimming
pool
(der) **Freitag**, Friday
die **Freizeitstätte**, leisure
complex
das **Fremdenverkehrsamt**, tourist
office
der **Fremde** ~, foreigner; stranger
fremd: ich bin hier fremd, I'm
a stranger here
die **Fremdsprache**, foreign
language
die **Freude**, pleasure, joy
sich **freuen (über)**, to be happy
(about): **sich freuen auf**, to
look forward to
frieren *, to freeze
die **Frisur**, hairstyle
froh, happy
fröhlich, merry, happy
frühstücken, to have
breakfast
sich **fühlen**, to feel
führen, to lead
der **Führerschein**, driver's licence
die **Führung**, guided tour
furchtbar, dreadful(ly)
der **Fußballbund**, football
association
der **Fußgänger**, pedestrian
der **Fußweg**, path; walk, on foot
füttern, to feed
die **Gabel (-n)**, fork
gammelig, tatty
die **Gans**, goose
der **Gastgeber**, host
das **Gasthaus, der Gasthof**, inn

die **Gaststätte**, restaurant
geben *, to give
gebietsweise, locally
das **Gebirge**, mountains
der **Gebrauch**, use
gebraucht, used, second-hand
gedacht see **denken**
die **Geduld**, patience
gebuldig, patient
geeignet, suitable
gefährlich, dangerous
gefallen *, to please: **das gefällt mir**, I like it
das **Gefühl (-e)**, feeling
gefüttert, stuffed, padded
die **Gegend**, region, area, vicinity
gegenseitig, mutual(ly)
der **Gegenstand (-"-e)**, object
der **Gegner**, opponent, enemy
gegossen see **gießen**
gehören, to belong
die **Geisterstadt**, ghost town
gelb, yellow
die **Gelegenheit**, opportunity
gelenkschonend, kind on the ankles
gelingen * +, to succeed
gelten *, to be valid
der **Geltungsbereich**, area in which valid
das **Gemälde**, painting
das **Gemüse**, vegetable
gemütlich, cosy, friendly
genau, exact(ly)
die **Genehmigung**, authorisation
Genf, Geneva
genießen *, to enjoy
genug, enough
geöffnet, open
geplatzt, punctured, flat
geradeaus, straight ahead
geräumig, spacious
das **Geräusch**, noise
gesalzen, salted
gesamt, whole, entire
die **Gesamtschule**, comprehensive school
das **Geschäft**, shop, business
geschehen * +, to happen: **gern geschehen**, don't mention it
das **Geschenk (-e)**, present
die **Geschichte**, history: story
das **Geschirr**, crockery, dishes
geschlossen, closed
der **Geschmack**, taste: **das ist Geschmackssache!** it's a matter of taste
geschützt, sheltered, protected
die **Geschwindigkeit**, speed
die **Gesellschaftsspiel**, party game

gesetzlich, legal(ly)
das **Gesicht**, face
das **Gespräch**, conversation
gestern, yesterday
gesund, healthy, -ily
das **Getränk (-e)**, drink
getrennt, separated, apart
das **Gewitter**, storm
sich **gewöhnen an**, to get used to
gewöhnlich, usual(ly)
gezwungen, forced
gibt: es gibt, there is/are
gießen *, to pour
der **Gipsverband**, plaster
die **Glätte**, slipperiness
das **Glatteis**, black ice
glauben, to believe
das **Gleis, (-e)**, platform
der **Gletscher**, glacier
die **Glotze**, F., "goggle-box"
das **Glück**, luck, good fortune
der **Glückwunsch**, congratulation
die **Glühbirne (-n)**, light bulb
gratis, free
grauenhaft, terrible
die **Grippe**, flu
der **Groschen**, groschen (*Austrian coin*)
(das) **Großbritannien**, Great Britain
die **Größe**, size: height
der **Grund (-"-e)**, reason; bottom; ground
gründen, to found
das **Grundstück**, plot of land
die **Grünfläche**, green space
der **Gruselfilm**, horror film
Grütze: rote Grütze, red fruit jelly
gucken, F., to look
der **Gummigranulatbelag**, rubber floor covering
günstig, favourable; good
der **Gurt, der Gürtel**, belt
der **Gutschein**, voucher, coupon
das **Gymnasium**, grammar school
haben *, to have
das **Hackfleisch**, mince, mincemeat
haften für, to be responsible for
der **Hagel**, hail
das **Hähnchen**, chicken
die **Halbpension**, half board
das **Hallenbad**, indoor pool
der **Hals**, neck; throat
das **Halsband**, collar; necklace
halten *, to hold: **halten von**, to think of
der **Halter**, owner
die **Haltestelle**, stop
der **Handel**, business, trade

der **Handfeger**, hand brush
das **Handgelenk**, wrist
der **Handhebel**, hand-operated lever
der **Handschuh (-e)**, glove
das **Handwerk**, craft
häßlich, ugly: nasty, mean
haufenweise, loads of
häufig, often
Haupt-, chief, head, main
hauptsächlich, mainly
die **Hauptschule**, secondary modern school
die **Hauptstadt**, capital
die **Hausaufgaben** (*pl*), homework
der **Hausaustausch**, house-swop
die **Hausmarke**, own brand
der **Heilbutt**, halibut
heilfroh, glad, pleased
der **Heiligabend**, Christmas Eve
das **Heilungsmittel**, medicine
die **Heimat**, home; home town; native country
heiraten, to marry
heißen *, to be called
heiter, happy, cheerful
helfen *, to help
hell, bright
das **Hemd**, shirt
herausragend, outstanding
die **Herbergsmutter, der Herbergsvater**, youth hostel warden
der **Herbst**, autumn
hereinplatzen +, to burst in
Herren-, men's
herrlich, magnificent
herrschen, to be, to prevail
herumalbern, F., to fool around
herumhacken auf, F., to pick on
herumlaufen * +, to go, run around
hierzulande, in these parts
die **Hilfe**, help
hilfsbereit, helpful
die **Hilfsorganisation**, aid organisation
der **Himmel**, sky; heaven
hin und wieder, now and again
hinaufgehen * +, to go up
hindeuten auf, to point to (*the fact*)
hineingehen * +, to go in
hinken, to limp
sich **hinlegen**, to lie down
Hinsicht: in vieler Hinsicht, in many respects
hinten, behind, at the rear
der **Hintersitz**, rear seat
hinweisen * **auf**, to point to

hinwerfen*: alles hinwerfen, F., to chuck it all in

der **Hirsch,** deer

die **Hitze,** heat

hitzefrei, school closed (*due to heat*)

hoch, high

das **Hochhaus,** high-rise building

höchstgelegen, highest situated

die **Höchsttemperatur,** maximum temperature

die **Hochzeit,** wedding

hoffen, to hope

höflich, polite, courteous

hoh-, high

der **Höhepunkt,** climax, high point

holen, to fetch

das **Holz,** wood

das **Hörspiel,** radio play

hüfthoch, hüfthoh-, waist-high

hügelig, hilly

die **Hügelkette,** range of hills

das **Hühnchen,** chicken

die **Hühnerbrühe,** chicken broth

die **Hundenahrung,** dog food

hupen, to sound the horn

der **Hustensaft,** cough mixture, syrup

die **Illustrierte,** magazine

der **Imbiß,** snack

inbegriffen, included, inclusive of

die **Informatik,** information studies

der **Inhaber,** owner

der **Innenarchitekt,** interior designer

die **Insel,** island

insgesamt, all together

irgend, some . . . or other

sich **irren,** to be mistaken

die **Jacke,** jacket, coat

die **Jahreszeit (-en),** season

das **Jahrhundert,** century

die **Jahrhundertwende,** turn of the century

der **Jasager,** yes-man

jeder, -e, -es, every

jedesmal: jedesmal wenn, whenever

jemand, someone

je, ever; each: **je nach,** according to

jeweils, each; each time

jobben, F., to work

die **Jugendberatungsstelle,** young people's advice centre

die **Jugendherberge,** youth hostel

der **Jugendliche~,** youth

kalt, cold; excluding heating

das **Kännchen,** pot

kaputt, F., broken "shattered"

(der) **Karfreitag,** Good Friday

die **Karnevalgesellschaft,** carnival committee

das **Karomuster,** checked pattern

die **Kartoffel (-n),** potato

der **Karton,** cardboard box

der **Käse,** cheese

die **Kaskoversicherung,** third party, fire and theft

das **Kasseler,** pork loin

die **Kassettendecke,** coffered ceiling

der **Kassierer, die Kassiererin,** cashier, check-out person

das **Kaufhaus,** department store

Kauf: in Kauf nehmen, to take into the bargain

kaum, hardly, scarcely

kegeln, to play bowls

keineswegs, not at all

der **Keks (-e),** biscuits

der **Keller,** cellar

der **Kellner, die Kellnerin,** waiter, waitress

kennenlernen, to make the acquaintance of

die **Kenntnisse (pl),** knowledge

das **Kennzeichen,** feature, mark

die **Kerze (-n),** candle

der **Kettenraucher,** chain smoker

der **Kinderteller,** children's menu

kindisch, childish, infantile

das **Kino,** cinema

die **Kirche,** church

die **Kirchweih, die Kirmes,** fair

die **Kirschtorte,** cherry gateau

klagen (über), to complain (*about*)

die **Klamotten,** F., clothes, gear

Klapp-, folding, hinged

klappen, F., to work, go smoothly

der **Klatsch,** F., gossip

die **Klatschtante,** F., der gossip (*monger*)

klauen, F., to "pinch", "nick"

das **Klavier,** piano

kleben, to stick

klebrig, sticky

das **Kleid,** dress

der **Kleiderschrank,** wardrobe

die **Kleidung,** clothing, clothes

das **Kleingeld,** (small) change

klettern+, to climb, clamber

das **Klingelzeichen,** ring

klingen*, to sound

das **Knäckebrot,** crispbread

der **Knaller,** banger (*firework*)

knapp, scarce(ly)

die **Kneipe (-n) (pl),** pub

der **Knopf (-''-e),** button; knob

kochend, boiling

die **Kochnische,** kitchenette

der **Kofferraum,** boot (*of car*)

die **Kollegstufe,** sixth form

komischerweise, funnily enough

das **Komma,** (*decimal*) point

die **Kommode,** chest of drawers

das **Kompott,** stewed fruit

die **Konditorei,** cake shop, café

der **Kontrolleur,** inspector

kontrollieren, to check

der **Kopf,** head

die **Kopfarbeit,** brainwork

der **Korb,** basket

körperlich, physical

die **Kraft,** strength: **treibende Kraft,** driving force

der **Kragen,** collar

der **Kram,** F., junk; stuff, business

das **Krankenhaus,** hospital

der **Krankenpfleger, die Krankenpflegerin,** nurse

der **Krankenschein,** medical insurance record card

kratzen, to scratch

der **Krebs,** crab; cancer

der **Kreislauf,** circulation

die **Kreisstadt,** district town

der **Krieg,** war

kriegen F., to get

der **Krimi F.,** thriller

die **Küche,** kitchen

der **Kuchen,** cake

der **Kugelschreiber,** ball-point pen

die **Kühlerhaube,** bonnet (*of car*)

der **Kühlschrank,** refrigerator

Kuli = Kugelschreiber

sich **kümmern um,** to mind, take care of

der **Kunde #, die Kundin,** customer, client

die **Kunst,** art

die **Künstlergarderobe,** (*actors'*) wardrobe

kurz, short: **vor kurzem,** recently

Kürze: in Kürze, shortly

lächeln, to smile

lachen, to laugh

lächerlich, ridiculous

der **Laden (-''-),** shop

die **Lage,** situation

Landes-, regional; national

die **Landkarte,** map

die **Landschaft,** countryside

der **Landwirt,** farmer

die **Landwirtschaft,** farm

langbeinig, long-legged
längerfristig, in the longer term
langweilig, bored
der **Lärm,** noise, din, racket
lässig, casual(ly), careless(ly)
die **Last,** burden, load
der **Lastwagen,** lorry, truck
laut, noisy
die **Lebensmittel** (*pl*), food
der **Leberkäse,** meat-loaf
die **Leberwurst,** liver sausage
lebhaft, lively, brisk
lecker, tasty
die **Lehre,** apprenticeship
die **Lehrkraft (-''-e),** teacher
der **Lehrpfad,** nature trail
die **Lehrstelle,** position as apprentice/trainee
leiden*, to suffer; bear
leider, unfortunately
leid: es tut mir leid, I'm sorry
die **Leihbücherei,** library
die **Leinwand,** screen
sich **leisten,** to (be able to) afford
die **Leistung,** performance, achievement
lesen*, to read
letztens, recently
die **Leute** (*pl*), people, folk
das **Lichtbild,** photograph
lieber, rather, sooner: **ich ---e lieber,** I prefer ---ing
Lieblings-, favourite
liegen*, to lie
die **Liegewiese,** lawn (*for sunbathing*)
die **Limo = Limonade**
die **Linie,** route, line
das **Liniennetz,** network of routes
link-, links, left
der **Lkw (Lastkraftwagen),** lorry
loben, to praise
locker, loose; slack
lockig, curly
der **Löffel,** spoon
sich **lohnen,** to be worth it
losfahren* +, to set off
los: nicht viel los, not much going on; **was ist los?** what's up?
die **Luft,** air
Lust: Lust haben, to fancy
lustig, merry, jolly
die **Mädchensache,** "girls' talk"
der **Magen,** stomach, tummy
die **Mahlzeit (-en),** meal
mancher, -e, -es, many (a)
manchmal, often
mangelhaft, unsatisfactory
mangelnd, inadequate
männl. (männlich), masculine, male

die **Mannschaft,** team
der **Mantel,** coat
die **Marke (-n),** brand, make; voucher, stamp
die **Massenkarambolage,** multiple pile-up
mäßig, moderate; mediocre
die **Maßnahme,** measure
die **Mattscheibe,** F., telly
die **Mauer,** wall
das **Meerwasser,** sea water
mehrere, several
die **Mehrwertsteuer,** VAT
meinen, to think, reckon
die **Meinung,** opinion
die **Meinungsverschiedenheit (-en),** disagreement
melden, to report
die **Menge,** crowd; lot, amount
die **Mensa,** (university) restaurant
merkwürdig, strange, odd
das **Messer (-),** knife
die **Metzgerei,** butcher's (*shop*)
das **Mietauto,** hire(d) car
das **Mietshaus,** block of flats
die **Mietspartei,** tenant
die **Mietwohnung,** rented flat
Mist: so ein Mist! F., what a darned nuisance!
das **Mitglied (-er),** member
mithaben*, to have with one
mitschleppen, to lug about
das **Mittagessen,** lunch
mitteilen, to inform
das **Mittel,** medicine
mittelalterlich, medieval
(der) **Mittwoch,** Wednesday
Möbel (*pl*), furniture
möbliert, furnished
die **Mode,** fashion
der **Modeschöpfer,** fashion designer
das **Mofa (-s),** small moped
mögen*, to like; may
die **Möglichkeit,** possibility
die **Möhre (-n),** carrot
das **Mokick,** moped
momentan, at the moment
(der) **Montag,** Monday
morgen, tomorrow
müde, tired
die **Münze (-n),** coin
das **Muster,** pattern
MwSt = Mehrwertsteuer
nach, after; according to
der **Nachbar #, die Nachbarin,** neighbour
nachfragen, to enquire
nachher, afterwards, later
die **Nachhilfe,** private tuition
der **Nachmieter,** the next tenant

der **Nachname #,** surname
die **Nachrichten** (*pl*), news
nachsehen*, to look at, check
die **Nachspeise,** sweet, dessert
der **Nachteil (-e),** disadvantage
der **Nachtisch,** sweet, dessert
nachwerfen*, to put in (*further coins*)
nagelneu, brand new
nähen, to sew
die **Naht,** seam
der **Nahverkehrszug,** local train
naß, wet
das **Naturschutzgebiet,** nature reserve
die **Naturwissenschaft,** natural sciences
der **Nebel,** fog, mist
nebenan, next door
der **Nebenjob,** sideline, extra job
die **Nebenkosten** (*pl*), additional expenses
nehmen*, to take
nett, nice
die **Neueröffnung,** (re-)opening
nichts, nothing
nie = niemals
sich **niederlassen*,** to settle
der **Niederschlag,** rain, snow
niederschlagsfrei, dry
niedrig, low
niemals, never
nimmer, never
nirgends, nowhere
nochmals, again
der **Notausgang,** emergency exit
der **Notfallort,** scene of emergency
nötig, necessary
Nu: im Nu, in no time
die **Null,** zero: **eine Null,** dead-loss
nutzen, nützen, to be of use
das **Obergeschoß,** top floor
die **Oberstufe,** sixth form
das **Obst,** fruit
die **Ofenfrites** (*pl*), oven chips
öffentlich, public
öffnen, to open
ohne, without
ohnehin, anyway
die **Oma,** grandma, granny
der **Opa,** grandad, grandpa
der **Ort,** place
örtlich, local
die **Ortsnetzkennzahl,** dialling code
der **Ortsrand,** edge of town, village
die **Ortstaxe,** local charge, tax
das **Osterfeuer,** Easter bonfire
(das) **Ostern,** Easter
(das) **Österreich,** Austria

das **Ozonloch,** hole in ozone layer
das **Päckchen,** package, parcel
die **Panne,** breakdown; puncture
der **Pannendienst,** breakdown service
das **Parkett,** stalls (*in cinema*)
der **Parkettboden,** parquet floor(*ing*)
das **Parkhaus,** multi-storey carpark
das **Parktor (-e),** park gate
der **Passant (-en) #,** passer-by
passen, to fit
pauschal, inclusive (*price*)
die **Pause,** break; playtime
pausenlos, non-stop
die **Pension,** guest-house
der **Pfannkuchen,** pancake
das **Pferd,** horse
(das) **Pfingsten,** Whitsun
die **Pflanze (-n),** plant
Pflaster: ein teueres Pflaster, a pricey place
die **Pflege,** care
die **Phantasie,** imagination
der **Pkw (Personenkraftwagen),** car
das **Plakat (-e),** poster, placard
planmäßig, scheduled
das **Planschbecken,** paddling-pool
das **Plattenladen,** record shop
die **Platzruhe,** quiet time
plaudern, to chat
das **Polizeirevier, die Polizeiwache,** police station
das **Polohemd,** casual shirt
die **Pommes frites,** chips, fries
Porzellanladen: ein Elefant im Porzellanladen, a bull in a china shop
das **Postamt,** post office
das **Postauto,** mail van
postlagernd, to be called for, poste-restante
die **Postleitzahl,** post code
das **Praktikum** (*pl.* **Praktika**), practical training
praktisch, handy
die **Praline (-n),** chocolate
prallen + gegen, to crash into
der **Preisknüller, der Preisvolltreffer,** bargain
preiswert, good value
prima, F., fantastic, great
die **Probe,** test; rehearsal
probieren, to try
der **Prospekt (-e),** brochure
prost! cheers!
prüfen, to test, examine
die **Prüfung (-en),** test, exam
pumpen, F., to borrow
die **Puppe (-n),** doll
die **Putenbrust,** turkey breast
der **Puter, die Pute,** turkey

putzen, to clean, polish
die **Putzhilfe,** cleaner
der/das **Quadratmeter,** square metre
der **Qualm,** smoke
der **Quark,** curd-cheese
der **Quatsch,** F., rubbish, tripe
quatschen, F., to chatter
die **Quittung,** receipt
der **Rabatt,** discount
radeln +, to cycle
radfahren * +, to cycle
der **Rand,** edge
Rang: im Rang, in the circle (*theatre*)
der **Rappen,** centime (*Swiss*)
der **Rasen,** lawn
sich **rasieren,** to shave
der **Rastplatz,** picnic area
die **Raststätte,** service area
raten *, to advise; to guess
der **Rat,** advice; senior official; council
rauchen, to smoke
rausschmeißen * F., to throw out
reagieren, to react
die **Realschule,** secondary modern school
die **Rechnung,** bill
recht-, rechts, right
rechteckig, rectangular
rechtfertigen, to justify
der **Rechtsanspruch,** legal entitlement
der **Rechtsanwalt,** lawyer, solicitor
rechtzeitig, in, on time
reden, to talk, speak; **mit sich reden lassen,** to be prepared to discuss things
das **Regal,** shelf, shelves
regelmäßig, regular(ly)
der **Regen,** rain
der **Regenbogen,** rainbow
die **Regierung,** government
regnen, to rain
regnerisch, rainy
reich, rich
reichen, to reach; to be enough
reichlich, ample
Reife: mittlere Reife, examination (*approx. GCSE*)
der **Reifen (-),** tyre
der **Reifendruck,** tyre pressure
die **Reihe,** row
das **Reihenhaus,** terraced house
reinigen, to clean
die **Reinigung,** (dry) cleaning
die **Reise,** journey
der **Reisebedarf,** things required for journey

das **Reisebüro,** travel agent
reisen +, to travel
der **Reißverschluß,** zip (fastener)
reiten * +, to ride (*horse*)
reklamieren, to complain about
das **Rennrad,** racing bike
die **Rente,** pension
die **Rentner, die Rentnerin,** pensioner
die **Reste** (*pl*), remains; left-overs
retten, to save
das **Rezept,** recipe; prescription
das **R-Gespräch,** reverse-charge call
der **Richter,** judge
Riesen-, huge, gigantic
das **Riesenrad,** big-wheel
riesig, gigantic, colossal
ringsum, (all) around
der **Rock,** skirt
das **Röhrenradio,** valve radio
der **Rollmops,** soused herring
der **Roman (-e),** novel
romanisch, Romanesque (*architecture*)
rosa, pink
der **Rotkohl,** red cabbage
der **Rücken,** back
der **Rückflug,** return flight
rufen *, to call
die **Ruhe,** peace, quiet
ruhig, quiet, peaceful
das **Rührei,** scrambled egg
rum-, around, about
rund, round; roughly: **rund un die Uhr,** round the clock
die **Rundschau,** magazine programme
die **Rutschbahn, die Rutsche,** slide, chute
rutschen +, to slip, slide, skid
die **Sache,** thing; matter
saftig, juicy
die **Sahne,** cream
die **Sammelbüchse,** collection box
sammeln, to collect
die **Sammlung,** collection
(der) **Samstag,** Saturday
satt, full-up; **es satt haben,** to be fed up
sauber, clean
sauer, sour, sharp; annoyed
das **Sauwetter,** F., damned awful weather
die **S-Bahn,** suburban railway
das **Schach,** chess
die **Schachtel,** box
schaden, to harm
schaffen, to manage, make it
schallgedämmt, soundproofed

die **Schallplatte (-n)**, record
der **Schalter**, counter, (*ticket*) window
der **Schatten**, shade
die **Schaubühne**, stage
schauen, to look
die **Schaufel**, shovel
der **Schauspieler**, actor
der **Schein (-e)**, note (*money*); ticket; certificate
der **Scherz**, joke: **zum Scherz**, for fun
scheußlich, dreadful
die **Schicht (-en)**, shift
schicken, to send
schiefgehen*+, to go wrong
schildern, to describe, portray
der **Schinken**, ham
die **Schlägerei**, F., brawl, "punch-up"
das **Schlagzeug**, drums
Schlange: Schlange stehen, to queue
schlank, slim
die **Schlankheitskur**, diet
schlecht, bad
schleppen, to drag, pull, tow
schleudern+, to skid
schließen*, to close, shut
schließlich, finally
schlimm, bad
der **Schlitten**, sledge, toboggan
das **Schloß (-"-er)**, castle
schlucken, to swallow
der **Schlüssel (-)**, key
der **Schluß**, end
schmal, narrow; slim, slender
der **Schmarotzer**, F., sponger
schmecken, to taste: **das schmeckt!** it tastes good!
schmeißen*F., to chuck
schmerzen, to hurt
das **Schmiedeisengitter**, wrought-iron railings
der **Schmuck**, jewellery
schmücken, to decorate
schmusen, F., to cuddle
schmutzig, dirty
der **Schneeregen**, sleet
schneiden*, to cut
schneien, to snow
die **Schnittwunde**, cut, gash
das **Schnitzel**, veal or pork cutlet
der **Schnupfen**, cold
der **Schnurrbart**, moustache
die **Scholle**, plaice
der **Schrank (-"-)**, cupboard
die **Schraube**, screw
schrecklich, dreadful
der **Schrei (-e)**, shout
schreiben*, to write
die **Schreibwarenhandlung**, stationer's (shop)

schreien*, to scream
schriftlich, in writing, written
die **Schublade**, drawer
schüchtern, shy, timid
schuften, F., to work hard, "graft"
der **Schulabschluß**, completion of time at school
schulden, to owe
schuld, schuldig, guilty, to blame
die **Schürze**, apron
die **Schutzhütte**, shelter
schwach, weak
die **Schwäche**, weakness
das **Schwätzchen**, a little chat
der **Schweinebraten**, roast pork (*joint*)
Schwieger-, ...-in-law
schwierig, difficult
die **Schwierigkeit**, difficulty
schwindlig: mir ist schwindlig, I feel dizzy
der **See**, lake
die **See**, sea
die **Sehenswürdigkeit (-en)**, sight, visiting
das **Sehvermögen**, powers of vision
die **Seife**, soap
sein*+, to be
seit, seitdem, since
selber, selbst, myself, yourself, etc.
selbständig, independent
die **Selbstbedienung**, self-service
selbstbewußt, self-assured, self-confident
selbsttätig, automatic(ally)
selbstverständlich, of course
der **Selbstwählverkehr**, automatic dialling
selten, rare(ly)
seltsam, strange, odd
das **Semester**, (university) term
die **Sendung (-en)**, programme
der **Sessel**, armchair
sich **setzen**, to sit down
sicher, sure, of course; safe
die **Sicherheit**, certainty; safety, security
der/das **Silvester**, New Year's Eve, Hogmanay
der **Sinn**, sense
der **Skatabend**, evening play "skat" (*card game*)
sofort, at once, immediately
sogar, even
sogenannt, so-called
sollen*, to be supposed to, ought

das **Sonderangebot (-e)**, special offer
sonderbar, strange, odd
sondern, but
(der) **Sonnabend**, Saturday
die **Sonnenbrille**, (pair of) sun-glasses
(der) **Sonntag**, Sunday
sonst, else, other(wise)
sooft, whenever
sorgen für, to look after
sorgfältig, careful
die **Soße**, sauce
sowieso, anyway, in any case
die **Spannung**, tension; voltage
sparen, to save
die **Sparkasse**, savings bank
der **Spaß**, fun
spät, late
spätestens, at the (very) latest
spazierengehen*+, to go for a walk
der **Spaziergang**, walk
die **Speise**, food
die **Speisekarte**, menu
spenden, to donate, give
der **Spielpavillon**, amusement arcade
die **Spielwaren** (*pl*), toys
spinnen: du spinnst!, F., you're nuts!
die **Spitze**, point: top; front
Spitzen-, top, leading; lace
der **Splitt**, grit, stone chippings
die **Sportart (-en)**, (kind of) sport
der **Sportverband**, sports club
sprachkundig, good at foreign languages
der **Sprecher, die Sprecherin**, newsreader, announcer
die **Sprechstunde (-n)**, consulting time
sprießen*+, to shoot, sprout
der **Sprudel**, mineral water, fizzy drink
die **Spülhilfe**, washer-up
die **Staatsangehörigkeit**, nationality
der **Stadtanzeiger**, local paper
Stadtgebiet: das gesamte erweiterte Stadtgebiet, the town and outlying districts
die **Stammkneipe**, "local"
der **Stand (-"-e)**, (market) stall, (taxi) rank
ständig, constant(ly)
der **Standort**, location, position
stark, strong
der **Stau (-s)**, build-up, tail-back
der **Stausee**, reservoir, artificial lake
der **Steckbrief**, personal description

stehenbleiben* +, to stop

die **Stelle**, place, spot; job

die **Stellenangebote** (pl), situations vacant

die **Stellengesuche** (pl), situations wanted

stellenweise, in places, here and there

der **Stellplatz**, place to pitch tent/park caravan

die **Stellung**, position, job

die **Steuer** (-n), tax, rates

das **Steuer**, steering wheel

der **Stiefel** (-), boot

stimmen, to be right, correct

die **Stimmung**, mood

stinklangweilig, deadly dull

der **Stierkampf**, bullfighting

der **Stock** (-"-e), stick; **Stock** (-werke), storey, floor

der **Stoff**, material

stolpern +, to stumble, trip

stören, to disturb

stottern, to stutter

der **Strand** (-"-e), beach

die **Straßenbahn** (-en), tram

die **Strecke**, distance; route, road

das **Streichholz** (-"-er), match

streng, strict

streuen, to sprinkle; grit

stricken, to knit

der **Strom**, river; electricity

der **Stromanschluß**, connection to mains electricity

stromern +, to roam, wander about

der **Strumpf** (-"-e), stocking

das **Stück** (-e), piece, bit; each

der **Stummel**, (cigarette) end

der **Stundenplan**, timetable

stürzen +, to fall, plunge, rush

die **Sucht**, addiction

die **Südhanglage**, position on southern slope

der **Sünder**, sinner

süß, sweet

die **Süßigkeiten** (pl), sweets

Sylvester = **Silvester**

sympathisch, pleasant, nice

die **Tabaktrafiken** (pl), tobacconist's

die **Tafel**, board: **Tafel-**, table-, eating-

die **Tagesschau**, news

Tagesverlauf: im Tagesverlauf, during the course of the day

täglich, daily

tagsüber, during the day

das **Tal** (-"-er), valley

die **Tankstelle**, petrol station

der **Tankwart**, petrol-pump attendant

die **Tanzfläche**, dance floor

das **Tanzlokal**, café with dancing

tapezieren, to (wall)paper

der **Tarif**, charge, rate

die **Tasche** (-n), pocket; bag

das **Taschentuch**, handkerchief

die **Tasse** (-n), cup

die **Taste** (-n), key (piano, keyboard, etc.)

tätig, active: **tätig sein**, in work

der **Tatort**, scene of the crime

der **Taucher**, diver

teilen, to share

die **Teilnahmemöglichkeit**, opportunity to take part

teilweise, partly

die **Teilzeitkraft**, part-time staff

der **Temperaturanstieg**, rise in temperature

der **Tennisschläger**, tennis racquet

der **Termin** (-e), appointment

teuer, dear, expensive

die **Theke**, bar, counter

die **Tiefsttemperatur**, lowest temperature

das **Tier** (-e), animal

der **Tierarzt**, vet

tippen, to type

tödlich, deadly, lethal

toll, mad; great, fantastic

die **Torte**, gâteau, flan

tot, dead

töten, to kill

tragen *, to carry; to wear

trampen +, to hitch (hike)

der **Trabant**, East German car

die **Traube** (-n), grape

die **Trauertage** (pl), sad days

der **Traumberuf**, dream job

sich **treffen** *, to meet

treiben: Sport treiben, to do sport

der **Treibhauseffekt**, greenhouse effect

der **Trickfilm** (-e), cartoon (film)

der **Trimm-dich-Pfad**, keep-fit trail

trocken, dry

der **Tropfen**, drop

der **Trottel**, F., idiot, twerp

trotzdem, nevertheless

trüb, dull; gloomy

der **Trubel**, hurly-burly

der **Truthahn**, turkey(-cock)

tschüs, F., cheerio, 'bye

tüchtig, good; big

tun *, to do

turnen, to do gym(nastics)

die **Turnhalle**, gymnasium

das **Turnier**, tournament

der **Türschloßenteiser**, door-lock de-icer

die **Tüte**, bag; cornet, cone

der **TÜV**, M.O.T.

die **U-Bahn**, underground, tube

übel: mir ist übel, I feel sick

überdacht, covered

überholen, to overtake

übermalen, to paint over, out

übermorgen, the day after tomorrow

übermütig, boisterous, high-spirited

übernachten, to spend the night

überprüfen, to check, inspect

überqueren, to cross

übersät, strewn

die **Übersicht**, overall view; table

überzeugt, convinced

übrig, (left) over

die **Übung** (-en), exercise, task

das **Ufer** (-), bank (of river, etc.)

die **Uhr** (-en), watch, clock: --- **Uhr**, ---o'clock

sich **umarmen**, to embrace, hug

umfassen, to grasp, clasp

Umgang: Umgang haben mit, to associate with

umgänglich, friendly

sich **umarmen**, to hug, put ones arms around (one another)

die **Umgebung**, surrounding area

sich **umgucken**, to look around

umgehen: umgehen können mit, to know how to handle

das **Umland**, surrounding countryside

umliegend, surrounding

sich **umschauen**, to look around

der **Umschlag** (-"-e), envelope

die **Umstände** (pl), fuss, hassle

umsteigen * +, to change (trains, etc.)

umtauschen, **umwechseln**, to change

sich **umziehen** *, to change (clothes)

der **Umzug**, move, removal

unabhängig, independent

unbedingt, really, absolutely

unbeschwert, carefree

unbeständig, changeable

uneben, roughly, bumpy

die **Unerreichbarkeit**, inaccessibility

unerwartet, unexpected(ly)

der **Unfall**, accident

ungenießbar, inedible, undrinkable

ungenügend, unsatisfactory

ungerecht, unjust(ly)

ungewöhnlich, unusual(ly)

unglaublich, unbelievable (-bly)

unheimlich, tremendously, incredibly

unlängst, recently

die **Unterbringung,** accommodation

sich **unterhalten*,** to enjoy oneself: to talk, converse

die **Unterhaltungssendung,** light entertainment programme

die **Unterkühlung,** exposure, hypothermia

unternehmen*, to make, undertake

unternehmungslustig, adventurous

der **Unterricht,** teaching, lesson

unterrichten, to teach

die **Unterrichtsstunde (-n),** lesson, period

unterschiedlich, varied, different

unterschreiben*, to sign

die **Unterstützung,** support

unterwegs, en route; on the road

unvergeßlich, unforgettable

unzerkaut, unchewed

unzugänglich, inaccessible

der **Urlaub,** holidays, vacation

der **Urnatur,** unspoilt nature

Ursache: keine Ursache! don't mention it!

ursprünglich, original

usw. (und so weiter), etc., and so on

u.v.a.m. (und vieles andere mehr), and much besides

veränderlich, changeable

sich **verändern,** to change

verantwortlich, responsible

die **Verantwortung,** responsibility

die **Verbesserung,** improvement

verbieten*, to forbid

verbilligt, reduced (in price)

die **Verbindung (-en),** connection, contact

verbrannt, burnt

verbreiten, to spread

sich **verbrennen*,** to burn oneself

verbringen*, to spend (time)

verbunden: falsch verbunden, wrong number

verdienen, to earn; to deserve

der **Verein (-e),** club

die **Vereinigten Staaten,** USA

verfehlen, to miss

Verfügung: zur Verfügung stehen, to be at ---'s disposal

vergeblich, in vain

vergessen*, to forget

vergleichen, to compare

das **Vergnügen,** pleasure, fun, amusement

vergoldet, gold-painted, gold-plated

vergrößern, to enlarge

vergüten, to reimburse, compensate

verheiratet, married

verkaufen, to sell

der **Verkäufer, die Verkäuferin,** salesperson

der **Verkehr,** traffic

verkehren mit, to associate with

die **Verkehrsampel,** traffic light

das **Verkehrsamt,** tourist office

der **Verlag,** publishing house, newspaper publisher

verlangen, to ask, demand

verlassen*, to leave, abandon

sich **verlassen auf,** to rely on

der **Verleih,** rental (company)

sich **verletzen,** to hurt, injure oneself

verlieren*, to lose

sich **verloben,** to get engaged

die **Verlustanzeige,** "lost" notice

vermitteln, to find, negotiate

vernünftig, sensible

verpassen, to miss

verreisen +, to go away (on a journey)

verringern, to reduce

verschieben*, to postpone

verschieden, different, various

verschwenden, to waste

verschwinden* +, to disappear

Versehen: aus Versehen, by mistake

die **Versicherung,** insurance

die **Versorgung,** care; supply

die **Verspätung,** delay, late arrival

versprechen*, to promise

verstauen, to load, pack

verstecken, to hide

verstehen*, to understand

versuchen, to try

vertragen*, to bear, tolerate

vertrauen, to trust, have confidence in

vertraulich: streng vertraulich, in strict confidence

verursachen, to cause

sich **verwählen,** to dial a wrong number

verwahren, to keep (safe)

verwandeln, to change

der **Verwandte ~,** relative

verwöhnen, to spoil

verzeihen*, to forgive, pardon

verzichten auf, to do, go without

die **Verzierung,** decoration

verzollen, to declare (at Customs)

der **Vetter,** cousin

vielfach, many times; in many ways

vielleicht, perhaps

vielseitig, varied; versatile

das **Viertel,** quarter

die **Viertelstunde (-n),** quarter of an hour

die **Vitrine (-n),** display case

das **Volksfest,** funfair

volljährig, of age

die **Vollpension,** full-board

die **Voranmeldung,** appointment, booking

voraus: im voraus, in advance: **den anderen voraus,** ahead of the others

vorausgesetzt (daß), provided (that)

voraussichtlich, expected

sich **vorbehalten,** to reserve (for oneself)

vorbeigehen* +, to walk past

vorbeifahren, to drive past

vorbeikommen* +,

vorbeischauen, to drop in (on someone)

der **Vordersitz,** front seat

die **Vorführung,** presentation, showing

vorgestern, day before yesterday

der **Vorgesetzte ~,** superior

vorhaben*, to intend, have planned

vorhanden, available

der **Vorhang (-"-e),** curtain

vorher, before(hand)

die **Vorhersage,** forecast

vorig-, last

Vorlage: gegen Vorlage, on presentation of …

vorlegen, to present, hand in

die **Vorlesung (-en),** lecture

vorletzt-, last but one

vormerken, to note down; to take an order for

der **Vormittag,** morning

der **Vorname #,** Christian name

vorne, at the front; **nach vorne,** to the front

sich **vornehmen*,** to intend, mean

vorschlagen*, to suggest

der **Vorschuß,** advance

Vorsicht! be careful!

die **Vorspeise,** starter, hors d'oeuvre
die **Vorstadt,** suburbs
vorstellen, to introduce: **sich vorstellen,** to imagine
die **Vorstellung (-en),** performance, showing; idea
der **Vorteil (-e),** advantage
vorübergehend, temporary, -ily
die **Vorwahlnummer,** dialling code
vorweihnachtlich, pre-Christmas
vorzeigen, to show, produce
das **Vorzelt,** awning
vorziehen*, to prefer
wabbelig, soft, doughy
die **Waffel (-n),** waffle
die **Wahl,** choice
wählen, to choose; to dial
der **Wählton,** dialling tone
Wahnsinns-, crazy
während, during; while
wahrscheinlich, probably
der **Wald,** wood, forest
der **Waliser, die Waliserin,** Welshman, Welsh woman
walisisch, Welsh
die **Wand (-''-e),** wall
die **Wanderung,** walk, hike
das **Wappen,** coat of arms
warm, warm; including heating
warum? why?
wasserdicht, waterproof
die **Wasserfläche,** stretch of water
die **Wasserspülung,** flush-toilet
der **Wasserstand,** water level
wechseln, change
wechselnd, alternating, variable
die **Wechselstube,** exchange office (*for money*)
wegen, on account of, because of
wehtun*, to hurt
die **Weiberfastnacht,** women's day (*during carnival period*)
weich, soft
Weihnachten, Christmas
das **Weihnachtsplätzchen,** Christmas biscuit
der **Weinbrand,** brandy
weiß, white
weit, far
weiter: und so weiter, and so on
weitergehen: es kann nicht so weitergehen, it can't go on like this
weitermachen, to continue, carry on

weitläufig, rambling; spacious
das **Wellenbad,** swimming pool with artificial waves
der **Wellensittich,** budgie
die **Weltmeisterschaft,** world championships
der **Weltuntergang,** end of the world
die **Wende,** change
sich **wenden* an,** to turn to
wenig(e), little, few
weniger, less
die **Werbeverkaufsschau,** promotional exhibition and sale
die **Werkstatt,** workshop, garage
das **Werkzeug (-e),** tool
der **Wetterbericht,** weather report
die **Wetterbesserung,** improvement in weather
wichtig, important
widerlich, disgusting, revolting
wieder: wieder da, back again
wiederholen, to repeat
die **Wiese (-n),** meadow
wieso? why? how come?
das **Wild,** game, deer; venison
die **Wildfütterung,** feeding of wild animals
winzig, tiny
wirklich, real(ly)
die **Wirklichkeit,** reality
wissen*, to know
der **Witz (-e),** joke
wohl, presumably, I suppose
die **Wohnung,** flat, apartment
die **Wolke (-n),** cloud
wolkenarm, with few clouds
Wort: zu Wort kommen, to get a chance to speak
das **Wörterbuch,** dictionary
sich **wundern,** to be surprised
die **Wundsalbe,** ointment
die **Wurst,** sausage
wütend, furious
zäh, tough
die **Zahl (-en),** number, figure
zahlen, to pay
zählen, to count
der **Zahnarzt, die Zahnärztin,** dentist
das **Zäpfchen,** suppository
zB (zum Beispiel), for example
der **Zehner,** ten mark note
die **Zeichenerklärung,** key to symbols
der **Zeichentrickfilm (-e),** cartoon
zeichnen, to draw
zeigen, to show
die **Zeile (-n),** line

die **Zeit,** time
die **Zeitbegrenzung,** time limit
die **Zeitkarte (-n),** season ticket
die **Zeitschrift (-en),** magazine
die **Zeitung (-en),** newspaper
der **Zeitungsstand,** newspaper kiosk
die **Zeitverschwendung,** waste of time
zeitweise, at times
zelten, to camp
zerquetschen, to squash
der **Zettel,** piece of paper; note; bill; receipt
das **Zeugnis,** (school) report
ziehen*, to pull, draw
das **Ziel,** goal, destination
ziemlich, quite
die **Zimmervermittlung,** accommodation service
die **Zitrone (-n),** lemon
zittern, to tremble
der **Zoll,** customs
zubereiten, to prepare (*food*)
zufrieden, satisfied
der **Zug (-''-e),** train
zugewiesen, allocated
zuhören, to listen
die **Zukunft,** future
zulassen*, to admit, authorise
zumachen, to shut, close
zumeist, mostly, for the most part
zunächst, first (of all)
zunehmend, increasing, growing
die **Zunge,** tongue
zurückkehren +, to return
zurückliegen*, to be behind; to be (a certain time) ago
zurückrufen*, to ring back
das **Zusammensein,** being together; get-together
der **Zusammenstoß,** collision
zusammenstoßen* +, to collide
zusammensuchen, to collect together
zusätzlich, additional
der **Zuschauer (-),** spectator, viewer, member of audience
zuschlagspflichtig, subject to a supplement
der **Zustand,** state, condition
der **Zwanziger,** twenty mark note
zweieinhalb, two and a half
der **Zweig (-e),** branch, twig
zweistufig, two-stage, with two levels
zweitenmal: zum zweitenmal, for the second time
zwingen*, to force
zwischen, between

Grammar index